suhrkamp taschenbuch 3[illegible]61

»Es scheint aussichtslos. Das Bild, das sich die Welt heute von Österreich macht, ist genauso verschroben wie das österreichische Weltbild selbst. Fast alles, was über Österreich nach der Wahl vom 3. Oktober 1999 und dann nach der Regierungsbildung geschrieben wurde, sowohl in der österreichischen wie auch in der internationalen Presse, ist so falsch, daß nicht einmal das Gegenteil richtig ist – so kann es keine Diskussion mehr über die reale Lage geben, sondern nur noch über die Gefühle, die den jeweiligen Kommentator angesichts der scheinbar gespenstischen Lage beschleichen. Tenor der Berichterstattung ist, daß sich über Österreich wieder die langen Schatten der Geschichte gelegt haben, daß es wieder finster wird wie in den finstersten Zeiten und daß in dieser Finsternis die Wiedergänger am Werk sind. Das ist falsch. Das Gegenteil aber auch. Aber das heißt ebenfalls nicht, daß wir uns überhaupt keine Sorgen machen müssen. Das müssen wir sehr wohl – aber aus ganz anderen, unbeachteten Gründen.«

Mit seinen Essays zur österreichischen Geschichte und Politik hält Robert Menasse dem Land, seinen Politikern, aber auch seinen Bewohnern einen Spiegel vor. Mit assoziativer Leichtigkeit und scharfsinniger Genauigkeit führt er Vergangenheit, Gegenwart und Zukunft Österreichs zusammen und ermöglicht so Kenntnisse, die weit über tagespolitische Einsichten hinausgehen.

Robert Menasse wurde 1954 in Wien geboren. Der Romancier und Essayist lebt in Wien und Amsterdam. Seine Bücher im Suhrkamp Verlag sind ab S. 181 verzeichnet.

Robert Menasse

Erklär mir Österreich

Essays zur österreichischen Geschichte

Suhrkamp

Umschlagillustration und Frontispiz: Gerhard Haderer

suhrkamp taschenbuch 3161
Erste Auflage 2000

Quellennachweise am Schluß des Bandes
Suhrkamp Taschenbuch Verlag

Satz: MZ-Verlagsdruckerei GmbH, Memmingen
Druck: Nomos Verlagsgesellschaft, Baden-Baden
Printed in Germany
Umschlag nach Entwürfen von
Willy Fleckhaus und Rolf Staudt

1 2 3 4 5 6 – 05 04 03 02 01 00

Inhalt

Erklär mir Österreich!

Es scheint aussichtslos. Das Bild, das sich die Welt heute von Österreich macht, ist genauso verschroben wie das österreichische Weltbild selbst. Fast alles, was über Österreich nach der Wahl vom 3. Oktober 1999 und dann nach der Regierungsbildung geschrieben wurde, sowohl in der österreichischen wie auch in der internationalen Presse, ist so falsch, daß nicht einmal das Gegenteil richtig ist – so kann es keine Diskussion mehr über die reale Lage geben, sondern nur noch über die Gefühle, die den jeweiligen Kommentator angesichts der scheinbar gespenstischen Lage beschleichen.

Tenor der Berichterstattung ist, daß sich über Österreich wieder die langen Schatten der Geschichte gelegt haben, daß es also wieder finster wird wie in den finsteren Zeiten und daß in dieser Finsternis die Wiedergänger am Werk sind. Das ist falsch. Das Gegenteil aber auch. Das Wahlergebnis hat durchaus mit der österreichischen Geschichte zu tun – aber nicht unbedingt mit jener.

Das in den Berichten regelmäßig zum Ausdruck gebrachte Gefühl ist: Österreich gibt Anlaß zur Besorgnis, ja zu Angst. Auch das ist objektiv falsch, beziehungsweise »real« bloß als Medieninszenierung. Wollüstiges Schaudern. Rocky wie versteinert, unbelehrbar. Gefahrlose Angstlust. Aber das heißt ebenfalls nicht, daß »in Wirklichkeit« das Gegenteil stimmt, daß wir uns also überhaupt keine Sorgen machen müssen. Das müssen wir sehr wohl – aber aus ganz anderen, unbeachteten Gründen.

Stellen wir uns einmal vor, daß es Österreich gar nicht wirklich gibt. Es ist, mit all seinen wirklichen Parametern und Gesellschaftsdaten, nur ein fiktives Land, das ein amerikanischer Universitätsprofessor als Fallbeispiel für seine Politologie-Studenten erfunden hat, um die Diskussion gesellschaftlicher und politischer Prozesse und schließlich deren Analyse einzuüben. *Imagine a small country in Europe and let's call it Austria.*

Selbst ein erstsemestriger Student könnte die Tatsache nicht übersehen – und würde ihr daher (im Gegensatz zu professionellen innenpolitischen Kommentatoren in Österreich) zu Recht große Bedeutung zumessen –, daß die Gründerväter des modernen Österreich, in der historischen Konstellation, die der Professor vorgegeben hatte (und in der sich Österreich 1945 tatsächlich befand), keine unmittelbar überzeugende Staatsidee haben konnten. Zuerst war Österreich ein riesiges Vielvölkerreich gewesen, das nach einem verlorenen Krieg in lauter Nationalstaaten aufgelöst wurde – lediglich jener Teil des alten Reichs, der danach noch immer Österreich hieß, wurde kein Nationalstaat, sondern bloß ein deutschsprachiger Rest, der dafür, daß er ebenfalls Nationalstaat sein wollte – als Bestandteil der deutschen Nation –, noch einmal bestraft wurde. Als einziges Land der Geschichte seit Karthago wurde es nach einem Krieg nicht nur wirtschaftlich und psychologisch gedemütigt, sondern völlig zerschlagen. Als einziges Land eines sich nationalstaatlich formierenden Europa durfte es kein Nationalstaat sein. Als einziges Land eines in den Faschismus kippenden Kontinents mußte es gleich zwei faschistische Diktaturen ertragen. Und obwohl es in Österreich, ebenfalls einzigartigerweise, gegen ein faschistisches Regime (1934) einen bewaffneten Aufstand gegeben hatte, gilt es seither als doppelt faschistisch.

Es gab keine Geschichtslogik, die auf eine allgemein nachvollziehbare Weise in die Zweite Republik geführt hätte, keine Staatsmythologie, aus der sich Österreich nach 1945 herausschälen hätte können, keine Geschichte, die jenen Stolz und jenes Selbstbewußtsein ermöglicht hätte, die Voraussetzung für emphatische Staatsgründungen sind. Das heißt: die Zweite Republik entstand tatsächlich, und nicht aus Ignoranz gegenüber seiner Geschichte, als Staat aus dem Nichts. Was also konnten die Gründerväter der Zweiten Republik für eine Staatsidee formulieren, was konnten sie wollen? Dieselben Männer übrigens, die schon die Erste Republik gegründet hatten, »die Republik, die keiner wollte«, und die sie selbst, die Gründer, für »wirtschaftlich nicht lebensfähig« gehalten hatten. Was also konnten sie jetzt wollen, außer Wirtschaftshilfe von den reichen und großen Ländern, Entwicklungshilfe wie ein afrikanisches Land?

Es wurden im Jahr 1945 lediglich zwei Versprechen als Absichtserklärung des neugegründeten Staats gegeben – und das ist nicht nur ungewöhnlich simpel und aufgrund der Bedingungen auch logisch, sondern auch außergewöhnlich sympathisch. Erstens: Es soll ein freies, demokratisches Gemeinwesen nach westlichem Vorbild aufgebaut werden. Zweitens: Österreich soll, als praktisches Fazit seiner eigenen historischen Erfahrungen, zu einem Musterland in Hinblick auf die Achtung und Verteidigung der Menschenrechte werden.

Erst hier beginnen die Probleme, erst hier setzt die Geschichte ein, deren Schatten auf die österreichische Gegenwart fallen: Denn seither hat Österreich alles mögliche erreicht, alles mögliche bewiesen, alles mögliche geleistet – nur zwei »Kleinigkeiten« hat es nicht eingelöst: Nämlich die beiden grundlegenden Versprechen, die bei der Gründung der Zweiten Republik gegeben wurden. Der amerikanische Politologiestudent, der das politische System des Fallbeispiels Austria nach 1945 genauer betrachtet, würde, wäre er auch nur ein bißchen aufgeweckt, sagen: »Professor! Die Staatsidee dieser Republik erscheint mir nach all der Vorgeschichte mit all ihren radikalen Brüchen und Besonderheiten noch nachvollziehbar, aber was dann kommt, ist ja völlig irreal – das kann es doch in Wirklichkeit nicht geben! Sind Sie sicher, daß es einen Sinn hat, so ein Beispiel zu diskutieren?«

Österreich baute nach 45 ein demokratisches System auf – das in jedem Punkt dem internationalen Konsens widersprach, wie ein demokratisches System grundsätzlich auszusehen habe: Es gab zwar ein Parlament, in diesem aber keine Opposition. Im Parlament wurde die Regierung von den Abgeordneten der Regierungsparteien, also nur von sich selbst, kontrolliert. Zugleich installierten die beiden Regierungsparteien eine Nebenregierung, die »Sozialpartnerschaft«, deren Repräsentanten in keinen allgemeinen Wahlen legitimiert wurden und daher auch nicht abgewählt werden konnten. Diese Nebenregierung nahm der Regierung und dem Parlament die mühsame Arbeit der Gesetzgebung ab, indem sie die Gesetze außerparlamentarisch aushandelte und dann im Parlament nur noch absegnen ließ – wiederum von sich selbst, denn die Vertreter der Sozialpartnerschaft wurden von den Regierungsparteien als Abgeordnete ins Parlament gesetzt. Diese Nebenregierung gewährleistete eine Stabilität, die groteskerweise als deutlichster, nein, als einziger Beweis dafür gefeiert wurde, daß dieses Land Demokratie gelernt hatte. Als wäre eine funktionierende Demokratie durch versteinerte Verhältnisse definiert und nicht durch Stabilität auch im politischen Wechsel und gesellschaftlichen Wandel. Die österreichische Realität, dieses jahrzehntelang weihrauchumschwenkte undemokratische Zerrbild von demokratischer Stabilität, machte jeden möglichen politischen Wechsel zur bloßen Fiktion: Es war egal, ob die beiden Regierungsparteien gemeinsam in einer Koalition oder je alleine regierten, die Sozialpartnerschaft blieb, es blieben über jede Wahl hinweg dieselben Personen, und sie blieben unabwählbar. Ein Parlament ohne Opposition, eine Demokratie ohne demokratische Kontrolle und ohne Möglichkeit, politisch Verantwortliche abwählen zu können – das war es, was faktisch von Versprechen Eins eingelöst wurde, und damit kein Mißverständnis aufkommt: Das war nicht nur in den ersten Jahren so, gleichsam als Kinderkrankheit im mühsamen Prozeß der Einübung demokratischer Strukturen, sondern so war es beinahe ein halbes Jahrhundert lang. Und Versprechen Zwei? Wenn sich ein demokratisches System so hermetisch gegen die Möglichkeit demokratischer Prozesse abdichtet, wie das in Austria der Fall war, dann ist eine Entwicklung, die zu unkontrollierbaren Polizeibefugnissen, zu Lauschangriff und Rasterfahndung und bei der kleinsten Unruhe zur hysterischen Jagd auf Sündenböcke führt, logischer als jene Entwicklung, die zu einem so selbstverständlichen wie selbstbewußten Eintreten für die Unteilbarkeit der Menschenrechte führt. Dann ist es egal, ob es eine Verfassung gibt und Grundrechte, solange man einen kennt, dessen Schwager wieder einen kennt, der irgendwo intervenieren kann ... Und das ist es, was Alltagsfaschismus und was nicht gleich Neonazismus ist: Keinen Rechtsanspruch zu haben, sondern sich zurückzulehnen in undurchsichtige Beziehungen, Parteikontakte, paternalistische Verflechtungen. Aber das ist – und das kann man nicht oft genug betonen – eine Konsequenz des Systems dieses Landes, das die jetzt lebenden Generationen wirklich und nachhaltig genau darauf eingeschult hat, und keine Konsequenz von dessen Vorgeschichte.

So, und jetzt betrachten die Studenten die aktuelle Entwicklung und sie sind – erleichtert: Es gibt plötzlich Oppositionsparteien im Parlament. Es gibt Wahlen, die die selbstverständliche Hegemonie der bisherigen Regierungsparteien ins Wanken bringen. Die Sozialpartnerschaft ist in eine veritable Krise geraten. Neue Koalitionen und demokratischer Wechsel werden möglich. Die Allmacht eines Staates, der von der staatlich verteilten Babydecke bis zum staatlich vorgesehenen Normsarg das Leben seiner Bürger reglementieren will, wird zurückgedrängt – die amerikanischen Studenten jubeln: So irrwitzig kann man ein Fallbeispiel gar nicht erfinden, daß sich am Ende nicht doch die Ideale, die sie kennen und mit denen sie die Welt missionieren, durchsetzen würden. Nun überprüfen sie mit dem Professor das Programm und die geäußerten Absichten jener »Freedom-Party«, die als größte und kontinuierlich wachsende Oppositionspartei den Paradigmenwechsel in der politischen und gesellschaftlichen Realität von Austria provoziert hat, und stellen fest: Das entspricht mehr oder weniger dem linken Flügel der Republikanischen Partei der USA. Ein paar Studenten, die mit den Demokraten sympathisieren, äußern ein paar marginale Kritikpunkte – da läutet es, Ende der Seminarstunde, die Studenten eilen zu Basket- oder Baseball, wieder was gelernt, der Professor ist voll okay.

Das ist, mit einiger Distanz betrachtet, die Realität. Damit ist nicht gemeint, daß man sich unbedingt mit der Politik und dem Weltbild, das Jörg Haider und seine Freiheitliche Partei vertreten, anfreunden muß. Aber zwischen Ablehnung und hysterischer Reaktion, zwischen einem analytischen Blick auf die historische Entwicklung der Zweiten Republik und einer letztlich ahistorischen Festlegung Österreichs bloß auf seine Vorgeschichte, zwischen Kenntnis und Vorurteil liegen immer noch Welten.

Das ist eine wirklich schrullige Eigentümlichkeit: Die Zweite Republik Österreich wurde sich selbst und in der Folge der Welt zum Rätsel, als sie sich endlich normalisierte. Als sie mit anderen demokratischen Staaten vergleichbar wurde. Wie ist das möglich?

Ich fürchte, ich bin jetzt in der unkomfortablen Situation eines amerikanischen Professors, der sich vor seinen Studenten im Hörsaal nachdenklich eine Zigarette anzünden muß. *You can buy arms, you can use arms, it's a free country. But don't smoke, it kills!*

Gut, jetzt werde ich selbstmörderisch. Was ist der faktische Konsens in der gegenwärtigen Debatte? Österreich kippt, und zwar zurück. Und zwar in den Faschismus.

Was hier übersehen wird, ist ein beschämend simpler Sachverhalt: Kein Haider-Wähler, der früher eine andere Partei gewählt hat, hat seine Meinung, sein Weltbild geändert. Kein Haider-Wähler ist »gekippt«, ist »historisch rückfällig« geworden, nach dem Motto: »Jetzt war ich immer so demokratisch, aufgeklärt, ein Anhänger des Rechtsstaats – aber jetzt wechsle ich zu den Faschisten, ich kann mir nicht helfen, das habe ich in den Genen!« Keiner, der jetzt Haider wählte, kann verstehen, daß er von einem Tag auf den anderen zum Faschisten mutierte, nur weil er blieb, wie er war, nur weil er treu war: Allem, was er von Geburt an in der demokratischen Republik Österreich gelernt hat und lernen mußte und was er täglich in seiner Zeitung lesen konnte, die von den allerhöchsten Staatsrepräsentanten mit Demutsgesten und Subventionen und Willfährigkeit zur *Al Achram*, zur halbamtlichen Zeitung der Republik gemacht wurde. Und weil er dem treu blieb, was ihm immer von den international anerkannten demokratischen Parteien seines Landes versprochen wurde, das aber jetzt, wegen neuer internationaler Verpflichtungen, nicht mehr eingelöst werden kann. Wie soll er, zum Beispiel, verstehen, daß er ein braver Demokrat war, als er Kreisky wählte, der mit ungedeckten Schecks lockte (Heiratsgeld, Kindergeld usw.), aber daß er jetzt ein Nazi ist, weil er Haider wählt, der mit ungedeckten Schecks lockt? Ist es nicht eher verständlich, daß er sich verhöhnt fühlt, wenn die ehemalige »Scheck-Partei« ihm sagt, daß diese Versprechen eine irreale Utopie seien, unfinanzierbar und nie verwirklichbar? Das Gedächtnis der Menschen ist schlecht, aber so schlecht nicht: Sie wissen, daß es keine Utopie ist, sondern Geschichte, Geschichte der Zweiten Republik wohlgemerkt, und nicht ihre Vorgeschichte – sie haben es erlebt. Sie haben diese Art von Politik und keine andere gelernt.

Das mag international schwer verständlich sein, ist aber – leider – die Wahrheit: Keiner, der jetzt Haider wählte, ist ein Wechselwähler: Er hat in den 60er Jahren die Christdemokraten gewählt, obwohl (oder weil?) der christdemokratische Spitzenkandidat das Parlament als »Judenschul« bezeichnet hatte und sich vor Grinsen nicht halten konnte, als er die Vorzüge der Sozialpartnerschaft pries. Obwohl dieser mit dem Slogan »Ein echter Österreicher« (gemünzt gegen den Juden Kreisky) in die nächste Wahl ging (und übrigens wesentlich mehr Stimmen erhielt als jetzt Haider mit demselben Slogan!).

Er hat in den 70er Jahren Sozialdemokraten gewählt, obwohl (oder weil?) der sozialdemokratische Spitzenkandidat sagte: »Wenn die Juden ein Volk sind, dann sind sie ein mieses!« Er hat Sozialdemokraten gewählt, obwohl (oder weil?) die Sozialdemokraten Simon Wiesenthal als Nazi-Kollaborateur denunzierten. Der heutige Haider-Wähler hat, lange vor Waldheim, den Kandidaten der Sozialdemokraten zum österreichischen Präsidenten gewählt, obwohl (oder weil?) dieser im Gegensatz zu Waldheim wirklich ein Kriegsverbrecher gewesen sein soll. Die Zeitschrift übrigens, die damals die Biographie dieses Präsidenten diskutieren wollte, erhielt keine Zeitschriftenförderung und keine Inserate mehr (sie lebte von Inseraten des Gewerkschaftsbundes), bis sie versprach, dieses Thema sterben zu lassen. Der damalige Herausgeber dieser Zeitschrift schreibt heute für die *Al-Achram*-Zeitung, in der regelmäßig, und nicht erst seit Haiders Aufstieg, rassistische und antisemitische Machwerke erscheinen. Und es war ein sozialdemokratischer Bürgermeister von Wien, der dekretierte: Nur weil in dieser Zeitung einzelne antisemitische Artikel erscheinen, ist sie noch lange nicht antisemitisch – sondern vielmehr ein vorbildliches Beispiel für Meinungsfreiheit!

Und war es »das gute, das demokratische, das antifaschistische Österreich«, das die Sozialdemokratie wählte, obwohl (oder weil?) der sozialdemokratische Innenminister jene Politik tatsächlich exekutierte, die man von Haider befürchtete? Und der stolz darauf war, daß er, nach der Ermordung eines Asylwerbers durch Polizisten, als politisch Verantwortlicher in Umfragen besonders hohe Sympathiewerte hatte?

Genug! Diese Liste kann man bis zum Erbrechen verlängern, in genauso kurzer Zeit, wie man Haiders unappetitliche Sprüche sammeln kann.

Jedenfalls: Sieht da irgendwer einen Wechselwähler? Sieht da irgendeiner einen inhaltlichen Bruch im Wahlverhalten? Außer daß einiges transparenter wurde, als es zuvor war? Und daß zugleich die politischen Strukturen, in denen diese Realität transparenter wird, jetzt irgendwie normaler, mit anderen demokratischen Ländern kompatibler werden?

Diese Transparenz ist auch die Antwort auf die Frage, wieso Austria, just in einer Normalisierungsphase, sich selbst und den anderen zum Rätsel wurde: Denn was da sichtbar wird, zeigt, wenn man genau hinblickt, einen anscheinend unauflösbaren Widerspruch – und es gebietet das Gewohnte, das Gelernte, das ewig Eingeübte, daß man davor gleich wieder die Augen verschließt. So hört man nur den Lärm, sieht, wenn man doch durch die Wimpern durchblinzelt, nur schemenhaftes Zucken. Rätsel. Was aber ist nun, offenen Auges betrachtet, der Widerspruch, der jetzt sichtbar wird? Er ist in der Tat unerträglich: Österreich hat einen demokratiepolitischen Fortschritt erlebt, aber dieser tritt mit dem Getöse einer Bedrohung der Demokratie auf. Wer Österreich gegen diese Bedrohung verteidigt, verteidigt vordemokratische Zustände, und wer nicht verteidigt, akzeptiert die Durchsetzung antidemokratischer Verhältnisse. Das soll die erste politische Alternative, das erste Angebot einer politischen Weichenstellung sein, die österreichische Wähler seit Jahrzehnten haben? Und je mehr die Bedrohung und die bedrohte Bedrohung vexierbildhaft in eins fallen, desto größer wird das Rätsel, aber auch die Wut, die Emotionen.

Wer hat denn jahrzehntelang augenzwinkernd betrieben, was Haider jetzt anspricht? Wer hat denn jahrzehntelang salonfähig gemacht, wonach Haider, der Parvenu im Salon, jetzt genüßlich seine Finger streckt? Der Skandal ist nicht allein Haider. Der ganze Skandal ist die geschlossene Allianz, die sich just das Österreich zurückwünscht, das einen wie Haider möglich machen mußte.

Dieser Sachverhalt, wenn wir uns ihm stellen, löst auch gleich das nächste Rätsel: Niemand würde Frankreich einfach als Le Pen-Frankreich bezeichnen oder Italien als Fini-Italien, oder Deutschland als Schönhuber-Deutschland. Wie aber konnte es zu diesem eigentümlichen Reflex der Weltmeinung kommen, daß nur Östereich, daß einzigartigerweise Österreich, daß exklusiv Österreich anhand von nichts anderem beurteilt werden könne als an einem Oppositionspolitiker, daß man also heute selbstverständlich von Haider-Österreich spricht? Eben deshalb: Weil Haider nicht der Widerspruch zu den österreichischen Verhältnissen ist, sondern deren Produkt, weil er nicht die Antithese zu den Regierungsparteien ist, sondern deren Lautsprecher, weil er nicht gegen die Situation opponiert, sondern sie bloß überzeichnet.

Es ist langweilig, dies, wenn man über Österreich diskutiert, gebetsmühlenartig wiederholen zu müssen: Diese mit den miesesten Gefühlen der Menschen jonglierende sogenannte Freiheitliche Partei ist mir zutiefst zuwider. Nein, sie ist selbstverständlich keine vernünftige Alternative zu den demokratiepolitischen Defiziten Österreichs. Aber kann man über diese Partei und über Österreich sinnvoll diskutieren, wenn man ausblendet, daß sie die erste wirksame Opposition in einem Land war, das sich vierzig Jahre lang Demokratie nannte, ohne eine Opposition zu haben? Und daß sie daher, mies wie sie ist, mehr nolens als volens zwei Konsequenzen für dieses Land hatte, die so mies nicht sind, weil sie Chancen eröffnen: Größere Transparenz der realen Situation und das Aufbrechen der alten Strukturen. Und kann man mit jenen vernünftig diskutieren, die nicht begreifen, was die Studenten in meinem fiktiven Szenario zweifellos begriffen haben, nämlich daß es einige Logik hat, daß sich nach dreißig Jahren durchgehender sozialistischer Kanzlerschaft eine Opposition, wenn sie schon entsteht, als eine antisozialistische formiert? Und dies umso mehr, als sich die Regierung selbst als Zertrümmerin sozialdemokratischer Werte wie Solidarität, Rechtszustand, Menschenrechte etc. gerierte, bis jene, die von der Sozialdemokratie im Stich gelassen wurden, sagten: Haider repräsentiert zumindest einen verballhornten Sozialismus, die Sozialdemokraten aber gar keinen mehr! Und die, die immer schon Gegner der sozialdemokratischen Werte waren, stellen zwar fest, daß die SPÖ sie aufgegeben hat, aber sie sehen trotzdem keinen Anlaß, sie jetzt zu wählen.

Es ist wahrscheinlich wirklich nur in Österreich, nach einem halben Jahrhundert Vor- oder Quasidemokratie, möglich, daß selbst Demokraten die demokratiepolitisch schrullige Vorstellung haben, man müsse, um mit seinem Land glücklich zu sein, sich beides aussuchen oder gar wählen können: Die Regierung und auch die Opposition – und erst wenn man mit beiden politisch übereinstimmt, kann man »stolz sein auf sein Land« ...

Kurz: Österreich hat keine »Wende« erlebt, keinen Rückfall in »unaufgearbeitete und mitgeschleppte« Dreißigerjahre, sondern zeigt plötzlich auf transparente Weise die inneren Widersprüche, die diese Republik auf versteckte Weise seit ihrer Gründung hatte. Es hat keinen Rechtsruck gegeben, es ist bloß ein Vorhang nach rechts zur Seite geschoben worden, wodurch der wirkliche Zustand dieses Landes sichtbar wurde. Transparenz ist gegenüber Verschleierung immer ein Fortschritt – es besteht also kein Anlaß zur Panik, sondern eher Grund zur Hoffnung. Aber. Habe ich nicht eingangs gesagt, daß es zwar keinen Anlaß zur Sorge gibt, aber daß auch das Gegenteil nicht stimmt – daß es also auch keinen Anlaß gibt, sich keine Sorgen zu machen? Ja! Aus einem unerträglich banalen Grund: Weil keiner in der breiten Anti-Haider-Allianz imstande ist, so distanziert wie ein Student in einem politikwissenschaftlichen Seminar die deutlich sichtbaren, objektiven Voraussetzungen zu betrachten: Daß nämlich Haider, während er all- und alleingegenwärtig durch die Medien geistert, in Wahrheit bereits politisch tot ist. Er ist kein Wiedergänger aus der Geschichte, er ist selbst schon Geschichte. Mehr als zwei Drittel der Österreicher haben Haider nicht gewählt. Sein Wählerpotential hat er fast zur Gänze ausgeschöpft. Durch den Eintritt der Haider-Partei in die Regierung wurde das Land international in einer Weise isoliert, die auch zu einem beträchtlichen wirtschaftlichen Schaden Österreichs führen wird. Viele seiner Wähler dürften daher in Zukunft davor zurückschrecken, nochmals freiheitlich zu wählen. Zugleich haben die Grünen seit der letzten Wahl in Meinungsumfragen ihre Stimmen mehr als verdoppelt. Die Sozialdemokratie in der Opposition ist gezwungen, wieder für sozialdemokratische Positionen einzustehen, politisches Denken und Handeln neu zu lernen, statt nur noch eroberte Besitzstände zu verteidigen. Nach Jahrzehnten einer Regierung ohne Opposition und nach Jahren einer konservativen Regierung mit einer rechten Opposition hat Österreich erstmals eine politisch normale Balance gefunden: Einer konservativen Regierung steht eine starke linke Opposition gegenüber. Aus der Opposition heraus ist das österreichische Nachkriegssystem mit seinen großen demokratiepolitischen Defiziten nicht zu retten. Und was davon noch immer übrig ist, wird von der gegenwärtigen Regierung, zum Teil unfreiwillig, aber jedenfalls konsequent, demontiert. Diese Regierung hat, erstmals in Österreich, nicht die automatische Zustimmung der Gewerkschaft oder der Sozialpartner insgesamt. Noch nie war eine österreichische Regierung so stark der öffentlichen, auch internationalen Kritik ausgesetzt, noch nie war eine Regierung so vehement konfrontiert mit Interessensgegensätzen wie diese. Zugleich hat diese Regierung nichts, was sie verteilen könnte, um sich Schweigen zu erkaufen. Sie ist eine schwache Regierung in einer Zeit, die von einem starken Demokratisierungsschub geprägt ist. Sie ist eine bloße Übergangsregierung: Sie wurzelt im alten Österreich, weil keiner sie gewählt hat, und sie führt ins neue Österreich, weil sie die erste Regierung ist, die abgewählt werden kann. Das alles hat Haider erreicht – auch wenn er es nicht wollte. Und was er will, nämlich Kanzler werden, kann er unter diesen objektiven Voraussetzungen nicht mehr erreichen. Es ist ausgeschlossen, daß Haider bei kommenden Wahlen die absolute Mehrheit der Stimmen bekommt, und gleichzeitig ist ausgeschlossen, daß in Zukunft eine Partei, die regieren und dabei auch internationale Anerkennung haben will, mit der Haider-Partei koalieren wird. Der Politologie-Student im Seminar ist also glücklich. Aber ich bin es nicht. Denn ich lebe in Österreich und ich sehe Widersprüche, die der Professor in seinem Fallbeispiel nicht einkalkuliert hat: Das ist der Widerspruch zwischen der Realität und ihrer medialen Abbildung. Der Widerspruch zwischen dem, was geschieht, und dem, was man tut, weil man glaubt, daß es so ist, wie es scheint. Und damit sind wir bei den Sorgen, die ein denkendes Gemüt sich heute in Österreich oder im Hinblick auf Österreich tatsächlich machen muß. Kein Demokrat muß sich vor Haider fürchten, sondern höchstens davor, daß die Sozialdemokratie ihre Regeneration nicht schafft. Tatsächlich aber ist die gesamte Anti-Haider-Allianz auf solch groteske Weise auf Haider fixiert, daß die Realität gar nicht mehr in den Blick kommt, wodurch auch die Chance vertan wird, bewußt in sie einzugreifen. So politisch tot kann Haider gar nicht sein, daß er in den Medien nicht ununterbrochen Wiederauferstehung feiert – ein besonderes Faszinosum in einem katholischen Land. Immer wieder wird er aufs neue interpretiert, mit dem immer selben dürftigen Ergebnis, unausgesetzt wird er warnend herbeigeschrieben, immer wieder beschwören die Haider-Verhinderer die Unaufhaltsamkeit der Haider-Karriere, ohne Pause üben die Haider-Gegner eine totalitär von Haider geprägte Realität ein. Täglich wird in Österreich viermal emigriert und fünfmal doch dageblieben, um den Kampf gegen den Faschismus aufzunehmen, zufällig immer in Anwesenheit der gesamten Presse. Es ist die Minute der Heuchler, die heiße Viertelstunde der Opportunisten, die große Stunde der Idioten, die in ihr Who-is-Who-Curriculum eingetragen wissen wollen: »Ich habe im Jahr 2000 den Widerstand gegen Hitler organisiert!«

Die Realität spielt ausgerechnet bei jenen keine Rolle mehr, die vorgeben unter ihr zu leiden, und was bleibt, sind Fragen, die, wenn sie keiner beantwortet, zu jenen Problemen führen werden, vor denen sich zu fürchten heute bereits Mode ist. Wie lange kann ein Demokratisierungsprozeß unbemerkt und irrtümlich vonstatten gehen, ohne schließlich doch in sein Gegenteil umzuschlagen? Wie lange kann man eine objektive politische Realität ignorieren, ohne von der Politik am Ende bestraft zu werden? Wie lange kann man ausschließlich etwas fürchten, ohne dadurch Komplize des Gefürchteten zu werden? Wie lange kann man einen politischen Gegner herbeischreiben, mit dem Gestus, ihn verhindern zu wollen, und dabei hoffen, etwas anderes zu bewirken, als das, was man nicht will? Und: warum soll es just in dieser Situation, mit dem aktuell sich entwickelnden Kräfteverhältnis nicht möglich sein, offensiv das anzugehen, was sich hinterrücks ohnehin anbahnt, nämlich die überfällige Demokratisierung der »Demokratischen Republik Österreich«? Mit anderen Worten: was spricht dagegen, bewußt und pragmatisch den Rükkenwind zu nutzen, der nicht von rechts kommt, sondern ein normaler Westwind ist, und zu sagen: Jetzt oder nie haben wir die Chance, das Schönste, das Liebenswerteste, das Attraktivste dieser Republik endlich bewußt einzulösen, nämlich die Verwirklichung der beiden Gründungsversprechen dieses Staates ...

Nichts, keine einzige Antwort auf diese Fragen ist heute in Österreich sichtbar. Statt einer demokratiepolitischen Offensive, die auf der Hand läge, ist nur eine aussichtslose Verteidigung der vordemokratischen Zustände sichtbar, als wäre alles wieder gut, wenn nur die alte Situation, die einen wie Haider groß machen mußte, wiederhergestellt wäre. Und dies ist das wahrlich Besorgniserregende an der österreichischen Realität: hier siegt nicht der Faschismus, sondern hier siegt immer wieder der Reflex über das Reflektieren, die Willfährigkeit über politischen Willen und das Verteidigen der Stellung über das Stellung-Beziehen – im guten Glauben, es sei alles eins.

»Alles eins« – das ist wahrscheinlich das Problem: Daß dies tatsächlich die Definition von österreichischer Identität ist. Solange dies so ist, wird sich regelmäßig dieses gespenstische historische Klopfen und Pochen wiederholen und Panik auslösen, statt daß endlich einmal nachgesehen wird, wer es ist, der da klopft: Ein Klopfgeist? Wiedergänger? Polternde Neo-Nazis?

»Nein! Österreichs Volk ist's, es will rein submissest bitten: Darf ich wohl so frei sein, frei zu sein?« (Anastasius Grün, 1848.)

Das war die Zweite Republik

1. Der Held und sein Wetter
Oder: Wer hier seine Schuldigkeit tut

Sollte einmal eine Geschichte der Zweiten Republik geschrieben werden, die die österreichischen Printmedien als Quelle benutzt, wird eine meteorologische Langzeitstudie herauskommen. Österreichische Zeitungen sind ja deshalb so einzigartig, weil sie am liebsten den Wetterbericht in der Schlagzeile bringen. Ein berühmtes Beispiel ist jene Ausgabe des *Kurier* aus dem Jahr 1975, das mehrfach glossiert wurde: Damals hatte der spanische Diktator Franco, gleichsam vom Sterbebett aus, fünf baskische Oppositionelle zum Tod verurteilt, und zwar durch die Garotte, eine mittelalterliche, besonders grausame Hinrichtungsmethode. Die Schlagzeilen der Weltblätter zeigten unisono Protest gegen den spanischen *Caudillo*, nur der *Kurier* machte mit den Lettern auf: »Es ist soweit: Der Herbst ist da!«

Zwei Jahre später, als der Herbst zum internationalen Thema wurde, nämlich der »Deutsche Herbst«, schlagzeilten *Kurier* und *Krone*: »Schönster« bzw. »Wärmster Herbst seit 51 Jahren!«

Es müssen schon Kriege in der unmittelbaren Nachbarschaft ausbrechen, um das Wetter aus den österreichischen Schlagzeilen zu verdrängen, aber selbst dann kann das österreichische Know-how siegen: »Nebel! Scheitern Luftangriffe am Wetter?« (*Kronen Zeitung*)

Viel zuwenig beachtet wurde bislang ein möglicher Grund dafür, warum Bruno Kreisky immer wieder Robert Musils *Der Mann ohne Eigenschaften* als seinen Lieblingsroman bezeichnet hat: Es ist *der* österreichische Roman, der mit einem Wetterbericht beginnt. Aber erst als der spätere Kanzler Viktor Klima medial verbreitete, daß sein Lieblingsroman ebenfalls *Der Mann ohne Eigenschaften* sei, waren österreichische Tradition, avancierte Medienpolitik (= Politik für die Medien) und moderner Paternalismus in höchster Staatsrepräsentation zusammengefaßt: Glücklich das Land, dessen Regierungschef sich – wie Viktor Klima – für die Titelseiten der Zeitungen mit Wassereimern und Gummistiefeln bereithält, wenn die Isothermen und Isotheren, anders als in Musils Österreich, einmal nicht ihre Schuldigkeit tun.

Andererseits: Friedrich Christian Delius hat in seiner Untersuchung *Der Held und sein Wetter* gezeigt, daß im bürgerlichen Entwicklungsroman das Wetter stets zum Gang der Handlung und zur Entwicklung der Haupthelden paßt und so zur Metapher für individuelle und gesellschaftliche Entwicklung wird. Schneeinferno und Regenkatastrophen in Österreich, Lawinen und Muren, kreißende Berge, einstürzende Stollen, Sonnenfinsternis – Da konnte die Schlagzeile am Tag nach der Wahl vom 3. Oktober 1999 nur »Erdrutsch« sein!

2. Ein Vorspiel
Oder: Das politische System Österreichs – »Da kann ich nur raten!«

Ein sonniger Freitag nachmittag in Österreich. Beginn eines glücklichen Sommerwochenendes. Dreizehn Wochen vor den Nationalratswahlen. Die größte Zeitung des Landes, zugleich der Welt, machte mit dem Wetterbericht auf: »Hitzewelle!« – Bereits der dritte Tag in Folge, an dem die »Quecksilbersäule« auf 25 Grad und darüber steigen werde, und auch während des ganzen Wochenendes solle es sonnig bleiben. Jeder wußte, wie die größte Zeitung am Sonntag die Titelseite gestalten würde: mit dem Foto einer Bikinischönheit, fotografiert in einem Wiener Freibad.

Die Radiomoderatoren verbreiteten gute Laune (»Bitte Lächeln! Geblitzt wird in . . .«), ein Radiosender bot seinen Hörern die Möglichkeit, ihr Glück zu vervollkommnen, und zwar gleich jetzt!: »Jetzt anrufen und gewinnen!«

»Da hab ich jetzt einen Hörer in der Leitung! Halloooo!? Wer ist dran?« »Ich bin der Franz!« »Franz? Super! Franz mit Ef oder mit Vau? War nur ein Witz – ich hab dich eh gleich an der Stimme erkannt, daß du nicht der Exkanzler bist! Wie alt bist du, Franz?« »Dreißig!« »Und von wo rufst du an?« »Aus Wiener Neustadt!« »Super! Wie ist das Wetter in Wiener Neustadt, Franz?« »Super!« »Na super! Also Franz, mit ein bißchen Glück lacht dir nicht nur die Sonne, sondern auch das Glück. Bist du bereit?« »Ja!« »Also. du weißt, worum es geht. Und jetzt die Preisfrage: Wie-viele Ab-ge-ordnete sitzen im österreichischen Nationalrat?«

»Oje. Da kann ich nur raten!«

Nach einer langen Schweigesekunde antwortete Franz: »Neun!« »Wieviel, Franz? Ich hab nicht gut verstanden. Neunzig?«

Aber Franz insistierte: »Neun!«

»Also Franz sagt neun. Neun. Aber da haben wir noch wen in der Leitung. Sein Kontrahent iiist – Hallooooo!? Wer spricht?« »Hallo servus, ich bin die Petra!« »Petra von wo?« »Aus St. Pölten!« »Petra aus St. Pölten! Super! Also Petra, du trittst gegen den Franz an. Du weißt, wir haben bald Wahlen, also wie viele Abgeordnete sitzen im österreichischen Nationalrat? Franz sagt neun!« »Nein, das sind mehr! Also, viel mehr!« »Also du sagst, es sind viel mehr! Super, Petra! Aber wieviel genau? Zumindest so ungefähr?«

»Achtzehn!«

Der Radiomoderator, wahrlich kein Depp, wollte ergründen, wie die beiden Anrufer auf diese Zahlen kamen. Unglaublicherweise fand er eine schlüssig klingende Interpretation: Ob die beiden Anrufer vielleicht geglaubt hätten, daß pro Bundesland ein Abgeordneter bzw. zwei in den Nationalrat entsandt würden? Nein, nein, riefen Petra und Franz, wirklich nicht, sie hätten nur geraten.

Den Preis gewann Petra aus St. Pölten – sie war an der richtigen Zahl »näher dran!«

3. Kleine Pause
Oder: Die Gratisschulmilch der frommen Denkungsart

Franz ist dreißig Jahre alt. Und Petra, die vom Moderator – offenbar einem Kavalier der alten Schule – nicht nach ihrem Alter gefragt wurde, weil sie eine Dame ist, wird sicherlich nicht älter sein, ihrer Stimme nach eher jünger. Das heißt, daß beider Biographien zur Gänze in die Zeit der »sozialdemokratischen Bildungsoffensive« fallen, die nach Kreiskys Wahlsiegen 1970/71 eingesetzt hatte. Franz und Petra sind gratis zur Schule und nach der Schule wieder gratis nach Hause befördert worden. Sie bekamen gratis Schulbücher. Für Franz und Petra wurden Fächer wie »Staatsbürgerkunde« eingeführt. Was haben Franz und Petra in dieser Zeit gemacht, in der auch die österreichischen Politiker lernten, einander regelmäßig aufzufordern, »die Hausaufgaben zu machen«?

Man soll sich über Franz und Petra nicht lustig machen: Nach dreißig Jahren »sozialdemokratischer Bildungsoffensive« wählt jeder dritte österreichische Maturant eine Rechtsaußen-Partei, hat Österreich die höchste Rate an sekundärem Analphabetismus und die niedrigste Rate an Hochschulabsolventen in Europa. Nach dreißig Jahren »Bildungsoffensive« wird immer noch an den kostenlosen Schullesebüchern herumgedoktert, weil immer wieder rassistische und frauenfeindliche Stellen bekannt werden.

Nach dreißig Jahren sozialdemokratischer Bildungsoffensive verspricht die österreichische Sozialdemokratie, so sie bei den kommenden Wahlen wieder die Mehrheit erhält, eine »Bildungs- und Forschungsoffensive«.

Es ist eines der großen politikwissenschaftlichen Rätsel der Welt, wie es möglich ist, daß eine Partei wie die SPÖ in Österreich seit nunmehr dreißig Jahren regelmäßig die Wahlen mit Versprechen gewinnt, die einzulösen sie bislang, wiewohl regierend, verabsäumt hat. Dagegen sind die Inkohärenzen der Oppositionsparteien, die in einem Untertanenstaat wie Österreich natürlich gnadenlos gegeißelt werden, völlig belanglos, und selbst die täppischen Slogans des kleineren Koalitionspartners in der Regierung sind daneben bloße kabarettistische Marginalien (etwa wenn der Vizekanzler plakatiert: »Wer die Politik zur Show macht, verliert rasch die Substanz!« und gleichzeitig mit Heimatliedern eine Gesangstournee beginnt).

Alles, wofür die SPÖ steht und was sie von Wahl zu Wahl verspricht, ist tatsächlich ein gesellschaftliches Desiderat. Vielleicht ist das der Grund für ihren Langzeiterfolg: daß es ein unbedingtes, ja wachsendes Desiderat auch bleibt. Zum Beispiel: »Echte Chancen für Frauen!« Mit diesem Slogan warb die Partei, die seit dreißig Jahren regierte und in dieser Zeit die Schere zwischen Frauen- und Männereinkommen für gleiche Arbeit nicht nur nicht schließen oder zumindest verkleinern konnte, sie hat mit der Regierungsverantwortung vielmehr auch die Verantwortung dafür, daß diese Schere sich noch dramatisch geöffnet hat: Die Differenz liegt nun bei 31 Prozent. Und diese Zahl ist noch teilzeitbereinigt, sonst wäre sie noch größer.

Nur manchmal schlägt die Sprache listig der Partei ein Schnippchen: Bei den letzten Gemeinderatswahlen in Kärnten plakatierte die SPÖ: »Frauen und Kinder zuerst!« – Zum erstenmal in der Geschichte der bürgerlichen Demokratien hatte eine politische Partei also mitgeteilt: »Wir sind ein sinkendes Schiff!«

Und dann kam die Kärntner Landtagswahl. Aber das ist ein eigenes Kapitel.

4. Ein Rückblick
Oder: Wie Österreich die Chance nützte, noch einmal neu zu werden

Wenn es bergab geht, will Österreich unschlagbar sein. Aber abgesehen vom Schifahren gefiel sich die Zweite Republik grundsätzlich in der Rolle eines Nachzüglers, der vom Leben belohnt wird, weil er regelmäßig zu spät kommt. Zeitgenossenschaft mit internationalen Entwicklungen und neuen Phänomenen im sozialen, wirtschaftlichen und kulturellen Leben kannten die Zweitrepublikaner oft nur von der Auslandsberichterstattung der Medien, und sie wußten – abgebrüht, selbstzufrieden und entspannt –, daß es dauern werde, »bis das auch zu uns kommt«. Manchmal kam »es« auch gar nicht, das waren gesellschaftliche Prozesse, die anderswo zwar Jahre prägten, aber doch nicht langlebig genug waren, um auch Österreich zu erreichen – und so hatten »wir uns etwas erspart«.

Nicht daß es in Österreich keine innovativen Geister gäbe oder gegeben hätte. Aber in der Regel erwiesen sie sich als Vorreiter nur insofern, als sie, verbittert oder angeödet von der Mentalität und den Lebens- und Arbeitsbedingungen in Österreich, hier eine Modernisierung einforderten, die anderswo längst durchgesetzt oder gar bereits Geschichte war. Sie standen also nicht so sehr für radikale Innovation, sondern wesentlich für eine Verkürzung der Zeitspanne, die es in diesem Land eben brauchte, bis internationale Standards mit der Automatik von Gottes Mühlen auch hier ein- oder versickerten. Im Grunde waren alle diesbezüglichen Konflikte in Österreich schon damals, als sie hier zeitgenössisch waren, bereits historisch. In der Kunst etwa importierte die österreichische Avantgarde der Fünfzigerjahre die internationalen Errungenschaften der Zwanzigerjahre und sah sich dafür skandalisiert von einem öffentlichen Bewußtsein, das in seinem ästhetischen Verständnis und seiner Begriffswahl (»Entartmänner«) von den späten Dreißigerjahren geprägt war. In den Siebzigerjahren spaltete sich das literarische Leben in Österreich durch den Versuch der Jüngeren, die ästhetische Debatte der Sechzigerjahre auch hierzulande durchzusetzen. In den Neunzigerjahren feierte Claus Peymann am Burgtheater Skandalerfolge – mit der Ästhetik der Siebzigerjahre. Und in der Politik gilt seit ebendiesen Siebzigerjahren in Österreich derjenige als innovativ, der zu stoßen beginnt, was international längst gefallen ist und hier gerade zu wanken begann.

Einmal, ein einziges Mal aber kam es bekanntlich so ungewollt wie zunächst unerkannt dazu, daß Österreich politisch und gesellschaftlich in eine wirkliche Avantgarde-Rolle stolperte, plötzlich nicht Nachzügler einer ohnehin statthabenden internationalen Entwicklung war, sondern sie tatsächlich im kleinen vorwegnahm, sich objektiv als Vorreiter erwies – auch wenn die »Vorreiter«-Rolle, gut österreichisch, ebenfalls einer historischen Aktualisierung entsprang, nämlich der Debatte über die Biographie des Präsidentschaftskandidaten Kurt Waldheim, der seinerzeit »nur mitgeritten« war. Man kann heute mit Fug und Recht behaupten, daß das Jahr 1989, das die europäische Ordnung und schließlich die Weltordnung von Grund auf verändern sollte, in Österreich bereits drei Jahre vorher, im Jahr 1986 stattgefunden, durchgespielt, vorweggenommen wurde – in dem Sinn, daß danach im Grundsätzlichen nichts mehr so bleiben sollte, wie es vordem gewesen ist.

Waldheims Satz »Ich habe nur meine Pflicht getan« – derselbe Satz, mit dem sich der 1961 aus Österreich ausgebürgerte Eichmann bei seinem Prozeß zu rechtfertigen versucht hatte –, löste gesellschaftliche Diskussionen in einer Heftigkeit aus, die zu einer plötzlichen Erosion der österreichischen Verhältnisse führen sollten, die bis dahin völlig versteinert schienen. Dazu kam im selben Jahr die Wahl Jörg Haiders zum Parteiobmann der FPÖ, dem, wie sich erweisen sollte, ersten wirklichen und wirksamen Oppositionspolitiker in diesem Land, das sich einzigartigerweise vierzig Jahre lang als parlamentarische Demokratie verstanden hatte, ohne die Grundvoraussetzung von funktionierendem Parlamentarismus je erfüllt zu haben: nämlich die Existenz einer parlamentarischen Opposition, mit der die Regierung sich öffentlich auseinandersetzen und Konflikte austragen muß, statt die Konflikte zwischen gesellschaftlichen Interessengruppen abseits des Parlaments sozialpartnerschaftlich zu planieren.

Im Jahr 1986 wurde also die alte, starre, wie für die Ewigkeit gemachte Verfaßtheit Österreichs in die Zange genommen und geradezu zerbröselt: Die eine Zangenbacke war der massiv heftiger werdende gesellschaftliche Diskurs, der alles in Frage stellte, was bislang Tabu, Mythos, bequeme Gewohnheit und letztlich jegliche Intelligenz beleidigendes Legitimationsritual war; die andere Zangenbacke die kontinuierlich stärker werdende politische Opposition, die, buchstäblich von der anderen Seite, alle politischen Tabus brach, die bis dahin konstitutiv waren für die stickig-gemütliche Windstille und aufreizende demokratische Unreife Österreichs.

Österreich konnte also Vorreiter einer geschichtsmächtigen Entwicklung werden, weil es in diesem historischen Moment europa- und weltweit zunächst gar nicht um die Zukunft ging, sondern um die Vergangenheit: nämlich darum, die versteinerten Nachkriegsverhältnisse endlich aufzubrechen. Dazu gab es in der Zweiten Republik 1986ff. ideale Bedingungen – das war Österreichs Jahrhundertchance.

Der Vorsprung, wie man nun rückblickend feststellen muß, hielt gleichsam »nur eine Viertelstunde«. Nach kürzester Zeit hatte sich dieses Land wieder eingebunkert, an die Bunkertür das Schild »Wartesaal für EU-Beitritt« angebracht und wartete darauf, ob sich die Weltenläufte überhaupt als mächtig genug erweisen würden, uns zu einem Glück zu zwingen, das sich eben erst als Chance angeboten hatte. Als Jahre nach 1986 auch international die Nachkriegsordnung implodierte, sah sich Österreich, starr und zugeknöpft wie sein damaliger Kanzler Vranitzky, in einer rundum bewegten Welt; bewegt von dynamischen Entwicklungsprozessen, auf die mit Erstarrung und Angst reagiert wurde, statt mit dem Stolz, Selbstbewußtsein und Erfolgsgefühl des Landes, das diese Transformationskrisen bereits Jahre zuvor zu meistern gehabt hatte. Oder hätte. Die neue Weltordnung, sie hätte vorgespielt werden können in einer kleinen Welt – aber nein, leider! Was Österreich vormachen hätte können, wurde nur viel später halbherzig nachgehaspelt, wo Österreich sich am eigenen Schopf aus einem historischen Sumpf ziehen hätte können, wurde lediglich auf peinliche Weise ein Toupet gelüpft, und wo Österreich in einer sich öffnenden und vernetzenden Welt eine so naheliegende wie überfällige Weltoffenheit beweisen hätte können, wurden Männer wie Löschnak oder Schlögl, Vertreter eines bürokratisch-rassistischen Krähwinkel-Bewußtseins, zu Helden der Inneren Sicherheit.

Was ist da geschehen? Es ist sehr schnell gegangen, fast unmerklich, aber am Ende kam es doch zu einem sehr deutlichen Bruch, in dessen Folge Österreich nicht mehr Vorreiter war, sondern jener Statist, der im dritten Akt ausrufen darf: »Die Pferde sind gesattelt!« – wovon sich allerdings auch Fotos machen lassen, die den Statisten im Kreis der Hauptdarsteller zeigen. Als wäre es bloß darum gegangen. Aber vielleicht war es das auch. Vielleicht war etwa das landesweit plakatierte Foto von Viktor Klima mit Tony

Blair und Gerhard Schröder, nach den Krisen und Brüchen, die Österreich seit 1986 erlebt hat, eine Art Heimkehr in die Kindheit der Republik. Denn unter diesem Foto hätte trefflich der erste Satz eines Leitartikels aus dem *Neuen Österreich* von 1946 stehen können (der Titel war übrigens »Über die politische Großwetterlage«): »Wir sind ein kleines Land, Statisten der Weltpolitik, aber die Augen der Großen sind auf uns gerichtet.«

5. Brüche
Oder: »Brechen, *österr. f.* erbrechen, *ugs. auch* speiben«

Die letzten Jahre erscheinen nicht nur als Bruch der Entwicklung, die 1986 so massiv eingesetzt hatte, sondern – wenn wir in Österreich schon dauernd die fortwirkende Geschichte mitreflektieren müssen – viel grundsätzlicher noch als Bruch im Hinblick auf die Geschichte und die historisch gewachsene Mentalität, wie sie in Österreich bis dahin liebevoll oder trübsinnig, klischeehaft oder ironisch allgegenwärtig war und gepflegt oder verkauft wurde. Hatte dieser Staat jahrzehntelang auf seiner Opferrolle in der Geschichte insistiert, so ließ er nun keine Gelegenheit aus, sich zeitgenössisch schuldig zu machen. Verfassungsbruch, Verletzung der Menschenrechte, Rassismus und Antisemitismus wurden nicht mehr verschleiert, versteckt, heruntergespielt, sondern offen zum Prinzip stimmenmaximierender Politik gemacht, auch von seiten der Regierung. Und wenn Österreich etwas Besonderes hatte, was es zu Recht von der Zeit vor den beiden Faschismen positiv ableiten und worüber es sich in seiner Eigenständigkeit gegenüber Deutschland und den anderen Nachbarländern definieren konnte, dann war es, abgesehen von ein bißchen Architektur, der Sachverhalt, daß sich hier über Jahrhunderte mannigfache Völker, Kulturen und Sprachen vermischt und verschmolzen hatten – ach wie schön, schön war die Zeit, als wir vor den Augen der Großen diese Selbstinszenierung aufführten. Plötzlich aber wurde aus der österreichischen Promenadenmischung eine reine Boulevardrasse, die wütend ihre Überfremdung bekämpft. Und dies just in dem Moment, als Österreich antrat, an der nachnationalen Entwicklung unter dem Titel »Europäische Union« zu partizipieren.

Wenn man den Österreichern auch immer wieder den Vorwurf machen kann, allzugern Mitläufer zu sein, so muß man doch auch anerkennen: Es gelingt Ihnen immer wieder auf so rätselhafte wie beeindruckende Weise, gegenläufig mitzulaufen.

6. Brüche II
Oder: »Auch kein Beinbruch! *Österr. f.:* Es geht weiter, wie gewohnt, höchstens ein bißchen anders!«

Was ist Mentalität? Etwas im Lauf der Zeit gesellschaftlich Gewachsenes und im Hinblick auf gesellschaftliche Brüche und Veränderungen zweifellos ein retardierender, zumindest bremsender Faktor. Wenn allerdings eine bestimmte Art des Denkens, Fühlens, Reagierens in Österreich über Jahrzehnte eingeübt wurde, dann ist es geradezu mehr als Mentalität, dann ist es radikaler: was die österreichische Mentalität erfaßt hat, dem hält die Wirklichkeit nicht stand.

Das österreichische Parlament galt in der Zweiten Republik von Anfang an als »Quatschbude«, obwohl kein österreichischer Abgeordneter etwas zu reden hatte. »Quatschbude« als Synonym für Parlament ist übrigens ein Begriff des politischen Totalitarismus. Schon dies zeigt, wie eisern sich in Österreich altgewohnte Urteile oder Zuschreibungen halten, gegen alle Realität. Als Inbegriff politischer Rationalität galt den Österreichern daher nicht der Parlamentarismus, sondern ein Erbe des faschistischen Ständestaats, das nach 1950 zu einem umfassenden (Gegen-)System ausgebaut wurde: Die Sozialpartnerschaft. Und wenn auch 97% der Österreicher selbst in der Glanzzeit der Sozialpartnerschaft nicht erklären konnten, wie diese genau funktioniert, so war doch eines immer klar: Sie ist ein mit der Verfassung nicht konformes, das Parlament entmachtendes, undemokratisches System, dessen Verantwortliche eine Regierungsgewalt ausüben, in die sie nicht gewählt wurden und aus der sie daher auch niemals abgewählt werden können. Österreich war zwar dem Namen nach eine demokratische Republik, tatsächlich aber ging alle Macht von der Gewohnheit aus. Schon deshalb verlangt jede Änderung des Gewohnten so unerbittlich wie stillschweigend, also ganz selbstverständlich, seine gleichzeitige Aufhebung. Schon Kreisky hatte das Kunststück zuwege gebracht, einerseits von der »Durchflutung aller gesellschaftlichen Bereiche mit Demokratie« zu räsonieren, andererseits die Aufhebung der Demokratie, also das sozialpartnerschaftliche System, erst so recht in den Rang der »Realverfassung« zu erheben. Die »Realverfassung« ist in Österreich bekanntlich die wirkliche, wirksame und anerkannte Praxis im Gegensatz zur bloß geschriebenen Verfassung. Ist also »Fluten« der Begriff für Tendenzen der (gesellschaftlichen) Natur, so ist die »Realverfassung« der von den Österreichern dagegen errichtete Damm. Aber: »Österreich ist nicht allein auf der Welt« (*Neues Österreich*). Als sich Österreich anschickte, der EU beizutreten, und diesen Beitritt auch vollzog, geriet die Sozialpartnerschaft in eine veritable Krise. Es war klar, daß das europäische Kapital mit diesem »weltweit einzigartigen System«, also mit diesem schrulligen Austriazismus, wenig Geduld haben würde. Dazu kam innenpolitisch der Aufstieg Jörg Haiders, der die Gunst der Stunde nützte und ebenfalls dem sozialpartnerschaftlichen System schwere Schläge verpaßte. Damit kein Mißverständnis aufkommt: Beide hatten keine hehren demokratiepolitischen Motive. Das europäische Kapital stieß sich nicht am antidemokratischen System, sondern daran, daß es zugleich auch die Liberalisierung der Wirtschaft hemmte. Und Jörg Haider ist natürlich nicht die Antithese zum demokratiepolitischen Defizit in Österreich, sondern er ist, auf der Basis tradierter und modernisierter antidemokratischer Konzepte, der luzidere Machtmensch: Da er schwerlich Wirtschaftskammer- und Gewerkschaftspräsident in Personalunion werden kann, müßte er, so er Kanzler wird, die Macht teilen. Haider war also der erste Kanzlerkandidat der Zweiten Republik, der, an die Macht strebend, die Macht wirklich wollte. Deshalb war er der natürliche Konkurrent der Repräsentanten der Sozialpartnerschaft: Wenn ein Mann wie er Dämme anbohrt, dann deshalb, weil er längst schon Baupläne für ganz andere Schleusen gegen die Fluten der Demokratie in der Tasche hat. Wahrscheinlich kam genau daher sein Erfolg in Österreich: Weil er bloß das System und nicht die Gewohnheiten der Österreicher zerstört.

Wie auch immer. In der Geschichte zählt nicht unbedingt, wie edel die Absicht war, sondern wie positiv das Ergebnis. Die links-intellektuelle, demokratiepolitisch motivierte Kritik an der Sozialpartnerschaft hatte sich über Jahrzehnte als wirkungslos erwiesen – aber EU plus Haider, das saß. Zwar forderten die österreichischen Medien von den Sozialpartnern gebieterisch, sich am Riemen zu reißen und wieder zu funktionieren, aber das half wenig. Es kam zu einem Quantensprung in der Geschichte der österreichischen Demokratie: Das Parlament, in dem mittlerweile nun schon drei Oppositionsparteien saßen – alle drei natürliche Gegner der Gängelung des Parlaments durch die Sozialpartner –, erwachte.

Die Belebung und Stärkung des Parlamentarismus in

Österreich muß man zweifellos als enormen Fortschritt verbuchen. Doch halt! Fortschritt ohne sofortigen Rückschritt? Demokratisierung ohne deren augenblickliche Aufhebung? Was Neues, ohne daß wir gleich wieder alt ausschauen? Es ist in diesem Land niemandem aufgefallen, zumindest wurde es öffentlich nie angesprochen und problematisiert – weder von den Medien, noch von den Oppositionsparteien –, aber natürlich hat eine profunde Aufhebung dieses Fortschritts stattgefunden: In ebendieser Zeit, die zu einer Stärkung des österreichischen Parlamentarismus führen sollte, ist es in Österreich zur Gewohnheit geworden, den Kanzler nicht mehr wählen zu können, sondern einfach vorgesetzt zu bekommen.

Bruno Kreisky war der letzte, der sich als Kanzlerkandidat Wahlen stellte und dann, mehrheitlich gewählt, auch tatsächlich Regierungschef wurde. Als er die absolute Mehrheit verlor, machte er Sinowatz zum Kanzler, der nicht als Kanzlerkandidat angetreten war und den daher auch kein Mensch zum Kanzler gewählt hatte. Als Sinowatz nicht mehr wollte, gab es keine Neuwahlen, sondern er machte einfach Vranitzky zum Kanzler. Und dieser sagte eines Tages: »Vickerl, du bist dran!«, und Klima wurde Kanzler. Das Parlament, wie gesagt, schien stärker und selbstbewußter zu werden, aber gleichzeitig wurde es Usus, die Regierungsgewalt wie in absolutistischen Monarchien einfach zu vererben. Welche Auswirkungen mag es auf das allgemeine Bewußtsein einer Bevölkerung haben, daß sie mittlerweile mehr als fünfzehn Jahre ihren Regierungschef nicht mehr wählen konnte? Oh doch, es hat natürlich Wahlen in diesen fünfzehn Jahren gegeben, aber bei keiner dieser Wahlen wurde ein neuer Kanzler gewählt, sondern immer nur der jeweilige Erbkanzler in seiner Funktion bestätigt. In den Medien hieß dies dann »Bestätigung des Kanzlerbonus«, was möglicherweise eine Umschreibung ist für »Bestätigung des Untertanenstaats«.

In einem *profil*-Interview anläßlich der bevorstehenden Wahlen im Oktober 1999 wurde der amtierende Kanzler Viktor Klima gefragt, ob es nach dreißig Jahren sozialdemokratischer Regierung nicht bereits Ermüdungs- und Abnützungserscheinungen gebe – in Deutschland zum Beispiel habe die Union bereits nach siebzehn Jahren als »Langzeitregierung« gegolten und sei abgewählt worden. Gute Frage. Die Antwort: »Was für Ermüdungserscheinungen? Ich trete doch erst zum ersten Mal als Kanzlerkandidat an« – sagte der Kanzler.

Es ist ein irres System: Wer bei diesen Wahlen Klima wählte, hätte möglicherweise Schlögl bekommen. Wer aber bundesweit für die FPÖ stimmte, bestätigte den Landeshauptmann von Kärnten.

7. Kleine Mentalitätsunterschiede
Oder: Oder

Dort, wo etwa bei einem österreichischen Käse auf der Verpackung steht: »Rinde für den Genuß nicht geeignet«, steht bei einem entsprechenden deutschen Produkt: »Rinde nicht für den Verzehr geeignet«. Durchaus vorstellbar, daß man versucht, Ungenießbares zu verzehren – aber zu genießen?

Dort, wo in österreichischen Bussen das Schild angebracht ist: »Das Sprechen mit dem Fahrer während der Fahrt ist verboten!«, steht in brasilianischen Autobussen: »Bitte sprechen Sie mit dem Fahrer nach Möglichkeit nur dann, wenn er gerade nicht fährt!« Diesen Unterschied muß man nicht einmal interpretieren.

8. Die Umwortung aller Worte
Oder: Die Innenwelt der Außenwelt des Innenministeriums

Es gibt in Österreich Worte, die stehen in keinem Wörterbuch, auch nicht im österreichischen, und dennoch sind sie da, entstanden gleichsam aus dem Nichts, und sie entfalten ihre Wirkung, unhinterfragt, selbstverständlich, als gehörten sie zum Grundwortschatz des Österreichers. Manche dieser Wörter werden plötzlich geprägt und versickern wieder, andere rumoren nur in bestimmten gesellschaftlichen Bereichen, und wieder andere machen von einem Tag auf den anderen im gesellschaftlichen Diskurs eine erstaunliche Karriere.

Zum Beispiel der Begriff »Schübling«.

Was ist ein »Schübling«? Klingt wie ein Ding, vielleicht auch wie ein Tier, ein Fisch vielleicht, wie der Saibling. Schlüpfrig, wendig. Geht er ins Netzt? Beißt er an? Ist er genießbar oder verzehrbar?

Der »Schübling« ist kein Fisch, aber für manche Menschen ist er doch gleichsam ein Lebensmittel. Es gibt eine Fastfood-Kette mit dem Namen *Köstli*. Eine *Köstli*-Filiale befindet sich in der Karlsplatzpassage, wo sich die »Giftler« treffen. Man erhält dort allerlei Würste, belegte Brote, Pommes – und »Schüblinge«. Dieses nicht besonders mundgerechte, aber sehr billige Gericht ist bei der *Köstli*-Kundschaft äußerst beliebt. Der Mann hinter der Theke, gebürtig aus Bosnien, also ein Bosnier, der auch »Bosner« verkauft, erklärt: »Schüblinge immer gleich weg. Auch Polizisten von Wachstube do fressen am liebsten Schüblinge«.

Wie viele Menschen kannten die »Schüblinge« der *Köstli*-Kette? Aber eines Tages war der »Schübling« in aller Munde. Medial verbreitet von Innenminister Schlögl und seinen höchsten Beamten. Was da geschah, war nicht mehr bekömmlich. Und es hatte auch nichts mehr mit der Kette zu tun, sondern, ganz im Gegenteil, mit einem »bedauerlichen Einzelfall«, und »Schübling« war nur der Begriff für die Gesetzmäßigkeit solcher Einzelfälle. Es war schauerlich mitanzusehen, wie der Innenminister schlukken mußte, als er im Fernsehstudio nicht einen »Schübling«, sondern das Wort »Schübling« in den Mund nahm.

War das, worum es ging, nun ein Einzelfall oder nicht? Philologisch gesehen gewiß nicht: In einem TV-Interview prägte Schlögls Vor-Vorgänger Franz Löschnak einen neuen Begriff, dessen Geburt live zu übertragen schon alleine die *Zeit im Bild* als wahre Informationssendung legitimierte, auch wenn der Interviewer in der Folge diesen Begriff nicht mehr hinterfragte. Er war einfach da. Plötzlich. Und wirkte. Er wird nie in einem Wörterbuch aufscheinen, aber er ist unvergeßlich. Löschnak sprach über die Notwendigkeit verstärkter Polizeipräsenz – damals bloß »im öffentlichen Raum«; der private wurde aber nicht vergessen, Lauschangriff und Rasterfahndung wurden damals auch schon vorbereitet.

Denn die Bürger fühlten sich »an bestimmten öffentlichen Orten, sprich Karlsplatz« unbeschützt und verunsichert wegen der sich dort versammelnden – und nun stutzte der Minister kurz und suchte das Wort. Dann sagte er: Wegen der sich dort versammelnden »Suchtgiftigen«.

Privat hätte Löschnak wahrscheinlich »Giftler« gesagt, aber vor laufenden Fernsehkameras? Zwar schoß ihm das Wort ein, und er hatte es schon auf der Zunge, als er stutzte. Zu umgangssprachlich. Wie sagt man auf Hochdeutsch? Diese Menschen nehmen ja nicht einfach Gift, also Arsen zum Beispiel oder Rattenköder, nein, sie nehmen Suchtgift. Also sind sie, korrekt formuliert – »Suchtgiftige«. So ungefähr mag dieses Wort in einer halben Sekunde in des Ministers Kopf entstanden sein. Aber ist die Erklärung, daß ein nicht allzu eloquenter Politiker sich selbst hilflos ins Hochdeutsche zu übersetzen versuchte, nicht doch unterinterpretiert? Zeigt sich in dieser vordergründigen Tolpatschigkeit nicht doch auch ein bestimmter Geist, eine bestimmte Haltung, die das Gestammel des Innenministers viel eher noch unangenehm und bedrückend als bloß lächerlich wirken lassen? Der Unterschied ist gerade in Österreich leicht zu zeigen: Nicht einmal die österreichischen Fußballprofis, die wohl größten Profis von Selbstübersetzungen in eine Art Hochdeutsch, haben jemals in Fernsehinterviews an etwas anderes denken lassen als an das, was sie sagen wollten, und nie als andere gewirkt als die, die sie waren – auch nicht, wenn sie Fremdwörter verwechselten und Begriffe neuprägten (zum Beispiel: »Wir haben uns gut aus der Atmosphäre gezogen« oder: »Man soll bitte dieses Problem nicht hochsterilisieren!«).

Löschnaks Fehlleistung aber ist mehr: Sie verriet geradezu karikaturhaft eine Absicht, mehr noch: seine fixe Idee, ja noch mehr: eine nicht nur für diesen einen Politiker, sondern für diese Art von Politiker in diesem Amt prototypische fixe Idee – nämlich die banale, so peinigend primitive wie groteske Sucht, durch bürokratische Umformulierung der Realität sich selbst gegenüber der Verantwortung seines Tuns zu immunisieren. Löschnak hat nicht nur ein hochdeutsches Wort gesucht, er hat gleichzeitig auch ein möglichst bürokratisches Wort finden wollen. Deshalb war er so unter Streß. Er wollte zwei Fliegen mit einer Klappe schlagen. Und darum ist in dieser verdammt kurzen Zeit, die er hatte, diese groteske Wortprägung entstanden. Die bürokratische Sprache will entmenscht sein, damit der Bürokrat Mensch bleiben kann. Ist das Leben aus der Sprache getilgt, hält sich der Sprecher für sachlich – und er stolpert nur noch über das »Live!«

Wie könnte man auf der Basis herkömmlicher Wörterbücher erklären, daß nicht »Drogenabhängige« Hilfe brauchen, sondern jene, die vielleicht einem Drogenabhängigen begegnen? »Suchtgiftige« allerdings wurden noch nie gesehen – aber sie sind ein sachlicher Grund für mehr Polizei. Oder: Wie könnte man auf der Basis des herkömmlichen Wortschatzes argumentieren, daß man zwar nicht die Verfolgten schützt, aber die Gesellschaft vor Verfolgten, die um Asyl ansuchen? Die buchstäblich ent-sprechende Sprache entsteht zufällig: als tolpatschige Prägung im Streß einer Fernsehaufnahme, als so zynisches wie lächerliches Wortspiel. (Wie oft haben Polizisten bei der Firma *Köstli* in »Schüblinge« gebissen und gelacht, bis plötzlich ein Schubhäftling tot war und sie reflexhaft *live* sagten, der »Schübling« habe gebissen?) Aber hinter diesen schauerlichen Lächerlichkeiten steckt ein verzweifelter Ernst, nämlich die hilflose Sucht nach Korrektheit – und zwar Korrektheit nicht *der* Sprache, sondern *durch* die Sprache: Wie kann man ein Täter oder ein Schreibtischmörder sein, wenn man bloß ein Wort neuprägt und dann die Gesellschaft vor diesem Wort schützt? *Diese* Sucht ist giftig.

Soviel zum Begriff »Schübling«.

9. Wenn die Bedeutung wandelt
Oder: Der verschlungene Pfad der Pragmatiker

Wenn in Österreich eine Banalität Emphasen auslöst und geradezu zum neuen gesellschaftlichen Fetisch wird, dann muß diese Banalität zuvor einen profunden Bedeutungswandel erfahren haben. Denn nicht einmal in Österreich ist es vorstellbar, daß – sagen wir – der Satz »Die Erde ist rund« einfach zur intellektuellen Mode und zu einem neuen politischen Glaubensbekenntnis werden könnte, so allgegenwärtig wie der Wetterbericht, so verzückt in den Mund genommen wie eine Hostie und dabei so ekstatisch gefeiert wie ein Fußballsieg Österreichs gegen Deutschland oder die Färöer.

Wie also läßt sich erklären, daß der Satz, Politik müsse pragmatisch sein, zur neuen Medienreligion in Österreich werden konnte? Warum ist es für die Beliebtheitswerte eines Politikers so essentiell geworden, sich das Image eines Pragmatikers zu verschaffen? Anders gefragt: Wie ist in Österreich die merkwürdige Idee entstanden, daß Pragmatismus in der Politik eine seltene und daher besonders hochzuschätzende Eigenschaft sei? Welche neue Bedeutung also hat der Begriff Pragmatismus in den letzten Jahren in Österreich erhalten?

Die Fragen sind nicht zuletzt auch deshalb interessant, weil es kaum einen Begriff gibt, der im Lauf der Zeit so wenig Bedeutungswandel, höchstens kleine Bedeutungsmodifikationen erfahren hat wie der Begriff »Pragmatismus«. Pragmatismus (nach griech. *Pragma*, die Handlung) bedeutete seit der Steinzeit politischer Theorie oftmals nicht viel mehr aber auch nie weniger als *zielgerichtetes Handeln, das am praktischen Erfolg gemessen wird.* Im Lauf der Jahrhunderte kam es zu einigen Ergänzungen dieser simplen Definition, etwa in der Frühzeit der Aufklärung, die das Postulat formulierte, daß politischer Pragmatismus sich am Erfolg *nicht nur für den Handelnden selbst, sondern für die Menschen* erweisen müsse. Oder Ende des vorigen Jahrhunderts, als der Pragmatismus als Wahrheitslehre definiert wurde: Jedes Problem bietet in der Regel mehrere Möglichkeiten, es zu lösen. Jene Entscheidung, die den ganzen Menschen im Auge hat und sich »bewährt«, hat also die »Wahrheit« eines Gedankens bestätigt.

Nun ist »Wahrheit« in der Politik natürlich nie ein eindeutiger Begriff, da unter der Voraussetzung gesellschaftlicher Interessengegensätze jede Interessengruppe ihre eigene Wahrheit glaubhaft zu verbürgen sucht. Dennoch ist unmittelbar klar: Seit jeher war Pragmatismus ein völlig selbstverständlicher Anspruch politischen Handelns, selbst bei jenen Regierenden, deren Phlegma stärker als deren

Pragma war. Und: Politischer Pragmatismus hat, in all seinen marginal voneinander abweichenden Definitionen, stets folgendes beinhaltet: Erstens ein Ziel. Zweitens – Nein, nicht Ärmelaufkrempeln! Sondern – Nachdenken, wie dieses Ziel erreicht werden könne. Drittens die erforderlichen Handlungen, um dieses Ziel nach Möglichkeit zu erreichen. Viertens und grundlegend: dieses Ziel muß außerhalb der beschränkten eigenen Interessen liegen, zumindest die eigenen Interessen übersteigen – »für die Menschen«, meinetwegen »da draußen«. Das heißt, daß bloße Bereicherungssucht, bloßer Machterhalt, bloße Befriedigung von Eitelkeit, aber auch bloße Administration etc. nicht unter den Begriff politischer Pragmatismus subsumierbar sind. Dies alles ist so selbstverständlich, daß kein aufgeklärter Staatsmann oder Politiker der letzten zweihundert Jahre bekannt ist, der versucht hätte, seinen Pragmatismus ins Zentrum von Imagekampagnen zu stellen oder aber den Begriff Pragmatismus umzudefinieren.

In der zweiten Hälfte der achtziger Jahren wurde es allerdings in der österreichischen Sozialdemokratie Mode, Politik stereotyp nach dem Satz von Max Weber als »Bohren harter Bretter« zu bezeichnen und diese Metapher als wissenschaftlich beglaubigten Ausweis des eigenen Pragmatismus zu verkaufen. Nun sind Metaphern ja oftmals Glücksache. Aber als besonderes Glück darf es gelten, daß in der Regel ein Halbsatz angefügt wurde, der, wiewohl von Max Weber, dem SPÖ-Granden Heinz Fischer zugeschrieben wird – vielleicht weil er so besonders kurzsichtig wirkt, wenn er treuherzig zu blicken versucht. Dieser Halbsatz lautet: »Und zwar mit Augenmaß!« Nun ist das Augenmaß die so ziemlich ungenaueste Methode des Maßnehmens, seit es Zollstock und Wasserwaage gibt. Hat damals, als die Sozialdemokratie sich und ihr Politikverständnis neu definierte, das Verhängnis begonnen, weil das metaphorische Motto war: »So genau nehmen wir es nicht«? Oder liegt die Emphase für Pragmatismus, ohne eine seiner klassischen Bestimmungen zu erfüllen, schon im Surrealismus des aus dem Zusammenhang gerissenen Max-Weber-Zitats begründet? Wer braucht schon angebohrte harte Bretter? Muß man sich Dialoge am Ballhausplatz vorstellen wie austriazistische Varianten der Serie *Yes, Minister*!?

»Herr Bundeskanzler, das Pensionssystem kracht. Die Pensionisten sterben vor Angst. Was wollen Sie tun?«

Der Bundeskanzler krempelt die Ärmel hoch, lächelt in die Kameras.

»Ich gehe sofort an die Arbeit! Harte Bretter bohren!«

Die Reporter verlassen den Raum, eilen in die Redaktionen. Der Kanzler nimmt am Schreibtisch Platz, ruft einen Sekretär.

»Ja, Herr Bundeskanzler?«

»Geh, schreib mir einen Brief an die Pensionisten. Daß sie mir keine Angst haben sollen ... Aber da nichts mit die harten Bretter, die denken mir sonst gleich an einen Sarg, gell!«

Der Bedeutungswandel des politischen Pragmatismus in Österreich ist natürlich schrittweise passiert, aber die deutliche Zäsur war wieder einmal das Jahr 1986.

Als Kreisky 1970/71 Kanzler wurde, begann er klassisch pragmatisch seine Reformpolitik. Er hatte ein Ziel, und er sah Wege und Möglichkeiten, es zu erreichen. Es wurden Dinge Wirklichkeit, die kurz zuvor noch als »nicht machbar« gegolten hatten. Er machte sie, und doch kann man wochenlang im Zeitungsarchiv der Nationalbibliothek sitzen und damalige Zeitungen nachblättern – nie wird man in politischen Kommentaren die Zuschreibung finden, er sei ein Macher gewesen. Er ging sehr pragmatisch vor, das heißt, er unterwand sich den objektiven Bedingungen, ohne aber sein Ziel aus den Augen zu verlieren. Er fand Wege. Aber der Begriff Pragmatismus spielte in den Medien keine Rolle. Der Mann war Kanzler. Was als ein Pragmatiker hätte er sonst sein sollen? Ein Träumer? Ein Sonderling, der sich in eine politische Verantwortung wählen läßt, die er dann nicht wahrnehmen will? Natürlich gab es Kritik, aber ebenso natürlich nicht daran, daß er Pragmatiker war, Kritik gab es vielmehr an seinen gesellschaftspolitischen Zielen. Das heißt, seine Kritiker hätten lieber einen bürgerlichen oder aber revolutionäreren Pragmatiker an seiner Stelle gesehen – »Pragmatiker« selbst war so selbstverständlich, daß es keinen Kommentar wert war.

Kreisky hatte die absolute Mehrheit. Aber das war nicht der Grund für seine politischen, also pragmatischen Erfolge. Denn die Regierung Kreisky hatte eine Nebenregierung: die Sozialpartnerschaft. Es wäre für einen heutigen Kanzler, auch ohne absolute Mehrheit, aber angesichts der schweren Krise der Sozialpartnerschaft, geradezu einfacher, ein erfolgreicher pragmatischer Reformer und Innovator zu sein, als für Kreisky mit seiner absoluten Mehrheit.

Nein, es sind nicht die klaren Mehrheitsverhältnisse, die einem Politiker das Machen ermöglichen, während ein Politiker mit bloß relativer Mehrheit und einem Koalitionspartner als Klotz am Bein nur noch versuchen kann, sich von verbündeten Medien zumindest das »Image des Machers« machen zu lassen – auch dies läßt sich am Beispiel Kreisky zeigen. Kreisky hatte lange regiert, und wie das in Demokratien so ist: lange heißt immer zu lange. Er hatte noch immer die absolute Mehrheit. Was hätte er, wenn es nur darum als Voraussetzung ginge, noch alles durchsetzen können. Aber er war zu müde, alt, ausgebrannt, krank, was auch immer. Es begann die Phase der berühmten »Reformen, die nichts kosten« – von denen heute niemand, absolut niemand mehr weiß, was da genau und wie reformiert wurde. Und Kreisky verlor die absolute Mehrheit.

Damals begann die bis heute anhaltende Zeit der ungewählten Kanzler Österreichs. Und genau in dieser Zeit vollzog sich Schritt für Schritt der Bedeutungswandel des Begriffs Pragmatismus im österreichischen Bewußtsein, bis er so ziemlich genau das Gegenteil dessen bedeutete, was man herkömmlich darunter versteht.

Hatte Kreisky noch ein Parteiprogramm, so war das Programm seines Nachfolgers Sinowatz nur noch die Partei. Nicht daß Parteiprogramme grundsätzlich heilige Schriften wären, deren Verschwinden oder auch bloß deren Absinken in die Bedeutungslosigkeit zum Untergang der Zivilisation führen müssen. Der Tod Gottes war sicherlich einschneidender für die Welt als der Tod der politischen Programmatik in Österreich. Ein Parteiprogramm ist im Grunde etwas Simples: Ein kleiner Katalog vorformulierter politischer Ziele, denen jeweils kurze gesellschaftsanalytische Präambeln der Art vorangestellt werden, daß sie diese Ziele irgendwie legitimieren. Aber solch ein Parteiprogramm, zumal das einer Reformpartei, zwingt wegen des großen freien Raums zwischen beschriebener Situation und den angepeilten Zielen einen Politiker grundsätzlich zu pragmatischem Handeln: Wie komme ich dorthin? Wie sind die Kräfteverhältnisse? Wie kann ich sie ändern?

Mit Fred Sinowatz hatte Österreich den ersten, noch dazu sozialdemokratischen Kanzler, der kein Parteiprogramm mehr brauchte. Dem das Logo der Partei genügte. Es ist aus der Zeit von Fred Sinowatz nichts bekannt, was er *gewollt* hätte, was er *zu erreichen, durchzusetzen* versprach. Nur dies: Die Partei, die ihm alles war, zu retten. Und das rettende Ufer war genau dort, wo die Partei sich schon längst befand: an der Macht. Er war, genau besehen, der erste Sozialdemokrat, der das reformistische Parteiprogramm durch ein radikal konservatives ersetzte: Das zu wollen, was war.

Sinowatz wird immer wieder als eine tragische Figur beschrieben. Das war er auch – aber nicht, weil er »glücklos« und »überfordert« war, wie es immer wieder hieß, sondern im Gegenteil: weil er erfolgreich war. Weil er gegen seine sozialdemokratische Sozialisation, gegen seine sozialdemokratische Identität sich auf einem vermeintlichen Kreuzungspunkt befindend, entschied: die Sozialdemokratie zu zerstören – um sie zu retten.

In den langen Jahren der SPÖ-Regierung hatte sich die Schere zwischen den Interessen des Apparats und den Vorgaben des Programms weit geöffnet. Sinowatz erkannte, daß er, auch wenn er das Programm noch so glaubwürdig zu vertreten versuchen würde, die Mehrheit und womöglich den Regierungsanspruch der Partei nicht halten konnte. Also übergab er das Kanzleramt an Franz Vranitzky, dem genau dies zugetraut wurde.

Wenn Kreisky ein Parteiprogramm hatte und wenn für Sinowatz das Programm noch die Partei war, so befreite sich Vranitzky programmatisch auch noch von der Partei. Er war der erste Spitzenpolitiker einer Partei in Österreich, der sein Konterfei ohne Parteilogo affichieren ließ. War »Franz« damals in der Werbung ein Synonym für neue Schuhe, so auch »Vranz« in der Politwerbung: die ausgelatschten konnten ausgezogen werden, der lange Weg, den mitzugehen Kreisky eingeladen hatte, war zu Ende. Vranitzky, der das Parteilogo nicht mehr brauchte, wechselte es daher gegen ein neues: Aus der SPÖ (Sozialistische Partei Österreichs) wurde die SPÖ (Sozialdemokratische Partei Österreichs).

Wenn auch vergessen ist, worin Kreiskys »Reformen, die nichts kosten«, bestanden – dies wird von Vranitzky in Erinnerung bleiben: Es zeigt ihn und seine Politik in nuce; er produzierte eine Zäsur, die zugleich als Kontinuität erschien, eine Innovation, die zugleich eine unscheinbare Nachadjustierung war, er änderte mit radikaler Konsequenz die Perspektive um 360 Grad – das hieß: man konnte einfach stehenbleiben.

Diese Politik war signifikant für Vranitzkys gesamte Administration. Von seinem damaligen Verkehrsminister, zum Beispiel, ist kein Verkehrskonzept in Erinnerung, nur dies: Er änderte die Farbe der Nummerntafeln der österreichischen Autos von schwarzweiß auf weißschwarz.

Die Zäsur aber war, wie gesagt, neunzehnhundertsechsundachtzig. Die Wahlkampagne und schließlich der Wahlsieg Kurt Waldheims führten, wenn man die damaligen Zeitungen nachliest, nachweisbar zur ersten großen Emphase der »Macherqualitäten« Vranitzkys und zur ersten Fundierung einer Neudefinition des Begriffs Pragmatiker. Die Frohbotschaft lautete: Vranitzky *macht* es besser. Was? Das Repräsentieren. Da war der einsame Präsident in der Hofburg, dem niemand die Hand geben wollte, und vis-à-vis der Kanzler, der Hände schüttelte. Widerwillig und steif zwar, aber das war *sein* Widerwillen, nicht der der anderen. Man gab ihm die Hand. Vranitzky war als Kanzler zugleich der eigentliche Präsident, und als eigentlicher Präsident wurde der Kanzler zum bloßen Repräsentanten. Er machte, was zuvor Aufgabe und Funktion eines Kirchschläger war, und wurde dafür als Macher gefeiert.

Durch diese Antithese von Ballhausplatz und Ballhausplatz, durch diese Identität von Präsidentschaftskanzlei und Kanzleramt wurde Vranitzky von Teilen des häßlichen Österreich zum guten Pragmatiker promoviert und vom guten Österreich sowieso. Aussagen wie die, daß einzelne Österreicher sich in der Geschichte schuldig gemacht hätten, Österreich selbst aber habe es damals gar nicht gegeben, wurde gefeiert in einem Land, das gerade Waldheim gewählt hatte und nun, ein halbes Jahrhundert nach der österreichischen »Opfer-Theorie«, gezwungen war, eine neue Formel zu finden, mit der es Schuld eingestehen und dennoch unschuldig bleiben konnte. Es herrschte eine Emphase, eine Dankbarkeit gegenüber Vranitzkys »Gut gemacht«, die jenen wenigen Österreichern völlig surreal erscheinen mußte, deren Kurzzeitgedächtnis noch intakt war: Denn bekanntlich wurde noch der Antifaschismus von Vranitzkys Vorgänger Sinowatz so geprügelt, daß dieser, ausgebildeter Historiker und überzeugter Sozialist, am Ende sogar leugnete, auch nur die Frage nach Waldheims Vergangenheit gestellt zu haben. So wurde Sinowatz, statt einen Orden für seine historische Neugier zu bekommen, unter lautstarken »Gib ihm!«-Rufen rechtskräftig verurteilt, während Vranitzky dafür gefeiert wurde, daß er durch seine bloße repräsentative Existenz auszubalancieren schien, was diese Wir-wählen-wen-wir-wollen-Wähler eben angerichtet hatten.

Mir ist nicht bekannt, ob Vranitzky, der heute von Aufsichtsrat zu Aufsichtsrat zieht, auch im Aufsichtsrat einer jener Banken sitzt, die heute von NS-Opfern mit Wiedergutmachungs- und Entschädigungsklagen eingedeckt werden. Was sagt, was denkt er in einer solchen Aufsichtsratssitzung? Er, der sich dafür feiern ließ, weil er im Parlament die »offenen Worte« fand: »Es gibt keine Haftung des Staates, weil es den Staat ja nicht gab.« Was sagt er zu den Worten jenes US-amerikanischen Anwalts, der NS-Opfer vertritt und gegenüber der *New York Times* sagte: »Ich habe in meinem Job wenig zu lachen. Aber das war ein *highlight*. Können Sie sich einen Deutschen vorstellen, der sagt: Unter Hitler hat es keine Bundesrepublik gegeben.«

Vranitzky war ein defensiver Politiker, ein Libero, dafür freigestellt, die Abwehr zu organisieren und eine noch größere Schlappe zu verhindern. Offensive war seine Sache nicht. Er hatte keinen Zug auf ein »Goal«, suchte keine Wege. Wenn Vranitzky irgend etwas mit dem Begriff Pragmatiker im klassischen Sinn zu tun hatte, dann höchstens dies: Er war ein Standbild des Pragmatikers. Wenn er einen Weg ging wie den in die EU, dann deshalb, weil der Weg ihn trug wie ein Förderband, während er die beiden Thesen abwog: Entweder »Alle Wege führen dorthin« oder »Kein Weg führt daran vorbei«.

Noch jeder Pragmatiker hat in Alternativen gedacht.

Das ist die Voraussetzung dafür, etwas erreichen, etwas verändern zu können. Vranitzky nicht. Er machte keine Änderungen, Änderungen machte er mit – als Bewahrer. Und Denken in Alternativen erschien ihm geradezu als eine Art von Delirium: Der Gedanke an etwas, das es nicht gibt, das nicht schon da ist, sich bewährt hat, der Bewahrung wert ist, galt ihm als Krankheitssymptom.

Wie mißtrauisch, ja wie abgeneigt Vranitzky gegenüber jeder Veränderung war, konnte man Ende 1989 wie unter einem Mikroskop studieren. Er war wahrscheinlich der einzige Nicht-Kommunist in einem westlichen demokratischen Land, der auf die Implosion der stalinistischen Länder nicht mit Euphorie, sondern mit Irritation reagierte. Gorbatschow hatte Honecker besucht und ausgerufen: »Wer zu spät kommt, den bestraft das Leben!« Später kam Vranitzky und besuchte Egon Krenz, um österreichische Interessen in der DDR zu wahren. Als Vranitzky im Flugzeug zurück nach Wien saß, gab es keinen Krenz mehr und bald darauf auch keine DDR. Als das Militär gegen Gorbatschow putschte, schickte Vranitzky ein Telegramm an die Putschisten. Endlich wieder normale, altgewohnte Verhältnisse: Stalinistische Hardliner an der Macht in der Sowjetunion – Dank und diplomatische Anerkennung! Nicht weil Vranitzky Sympathisant der Stalinisten war, sondern weil das die Welt war, die er kannte. Als das Telegramm zugestellt wurde, war der Putschversuch bereits wieder niedergeschlagen.

Diese radikale Transformation Europas kam Vranitzky höchst ungelegen – für einen wirklichen Pragmatiker wäre sie ein Fest gewesen. Die Chance, dieses vom Libero in gestaffelt organisierter Abwehr verharrende Land geopolitisch neu und vernünftiger zu positionieren, wurde vertan. Erhard Busek, der Vizekanzler und in dieser Frage der profundeste Widerpart Vranitzkys, wurde als »Intellektueller« geoutet und mußte schließlich zurücktreten.

Und wie radikal abgeneigt Vranitzky gegenüber jedem Denken in Alternativen und Widersprüchen war, läßt sich ebenso paradigmatisch an seinem Verhältnis zu Jörg Haider beschreiben. Vranitzky, Kind aus einer kommunistischen Arbeiterfamilie, das sich zum seriösen Staatsbanker hochgearbeitet hat, mußte Haider, der seine ökonomische Unabhängigkeit einem Millionenerbe verdankt, für einen Parvenü halten. Der Gegensatz hätte nicht größer sein können: Auf der einen Seite der Kanzler, der, mit dem Dienstwagen vorfahrend, Sprache durch Vorlagen für Exegese-Versuche ersetzte und sogar Körpersprache nahtlos substituierte durch die dezent-beredte Sprache seiner Kleidung: die Gefahr der Entgrenzung gebannt durch die steif zugeknöpfte Anzugweste, der Körper festgepinnt durch Nadelstreif. Auf der anderen Seite der Porsche-Liebhaber mit den Designerklamotten und dem allzu lockeren Mundwerk, dem noch das Unbedachteste und Schockierendste, das keiner Interpretation bedarf, bei seiner Klientel nicht schadet.

Der Mann, der an die Macht gespült wurde und vor jeder Veränderung erstarrt, und der Mann, der die Macht sucht, um auf Gedeih und Verderb zu verändern. Auf der einen Seite der Mann, der das Stille liebte, die Balance, das starr Austarierte, das irgendeinem Buchstaben folgte und stummen Respekt gebot, der also wie geschaffen gewesen wäre für das Richteramt. Auf der anderen Seite der Mann, der den Jubel wollte, Emphasen suchte, dem Buchstabentreue egal war, wenn eine Kombination von Buchstaben Gelächter, Geschrei und Emotionen hervorrufen könne – »Hai!« sollten die Menschen schreien und die Arme hochreißen, »Der!«

Wie groß man auch immer die Gefahr einschätzen mag, die Haider für diese Republik darstellte und darstellt – eine vernünftige Auseinandersetzung mit dieser Frage war in der Regierungszeit Vranitzkys nicht möglich. Ein Mann, der aufgewachsen ist und sozialisiert wurde und seine Karriere machte in einer Zeit, in der es keinen Widerspruch gab, keine Opposition, keinen Nein-Sager – zumindest keinen, aus dem etwas geworden wäre –, sah sich plötzlich in der Situation, der erste österreichische Kanzler zu sein, der mit Widerspruch und Opposition konfrontiert war und mit einem Nein-Sager, der Erfolge hatte.

Ein Politiker, der in Alternativen denken kann, ein Macher, der sieht, daß die Kritik an bestimmten Phänomenen Erfolg hat, ein Pragmatiker, der ein Ziel vor Augen hat und sich bloß deshalb die Existenz konkurrierender Zielvorstellungen selbstverständlich vorstellen kann, hätte auf mannigfache Weise auf die Herausforderung Haider reagieren können – aber gewiß nicht so, wie Vranitzky es tat.

Vranitzky wollte nichts, und ganz besonders nicht wollte er Haider. Ohne Vranitzkys Antifaschismus in Abrede stellen zu wollen, aber hier geht es nicht um Faschismustheorien: Jörg Haider kritisierte heftig, was auch von der Linken in Österreich immer wieder ebenso heftig kritisiert worden war. Aber Vranitzkys Irritation gegenüber Widerspruch und seine spontane Reaktion, die schließlich zu einer strategischen Theorie ausformuliert wurde, nämlich auf Haider nicht zu reagieren, ihn »auszugrenzen«, führte dazu, daß selbst kritische Geister in Österreich verteidigten, was Haider kritisiert hatte, nur weil Haider es war, der es kritisiert hatte. Das war das finsterste Kapitel der 2. Republik. Eine Generation wurde darauf eingeübt, Bewahrung, Skandalisierung von Kritik und Verteidigung von Besitzständen mit »Antifaschismus« zu velwechsern. Jeder Politiker, der in Alternativen denken kann, weiß, daß alles, zumal in der Politik, kritisiert werden kann. Die Frage oder das Problem ist also nicht, *daß* etwas kritisiert wird, sondern welche Konsequenzen aus dieser Kritik gezogen, welche Perspektiven aufgrund dieser Kritik angeboten werden. In funktionierenden Demokratien unterscheiden sich die Parteien eben dadurch: durch die Unterschiede der Vorschläge gegenüber kritikwürdigen Umständen. Doch in Österreich gab es durch Vranitzkys Politikverständnis plötzlich keine Alternativen mehr. Was Haider kritisierte, war durch Vranitzkys »Ausgrenzungspolitik«, also die Politik der Ausgrenzung jeglichen Widerspruchs, sofort tabu – nur weil Haider es kritisiert hatte. Es kam, wie es kommen mußte: Am Ende war alles tabu. Eine beachtliche Leistung für einen Mann mit dem Ruf, ein Pragmatiker, ein Gestalter zu sein.

Vranitzky versus Haider, das war, post festum betrachtet, eine interessante Zeit: Ausgerechnet der in der österreichischen Politgeschichte radikalste Harmoniesüchtige wurde zur Antithese der Antithese, zum Widerspruch des Widerspruchs, ausgerechnet der fanatische Ja-Sager konnte nur durch ein stures Nein die Antithese scheinbar aufheben, den Widerspruch scheinbar ausgrenzen und dadurch ein Ja erhalten, das nicht ihm galt und nicht der Partei galt und nicht dem Land galt – während aber alle dieses Ja für sich beanspruchten.

Vranitzky schien in seiner Antithese zu Haider diesem ähnlicher, als er glaubte. So wie dieser war auch er nicht festzumachen, nicht wirklich zu definieren. Der aus einer Kommunistenfamilie stammende Vranitzky, der aus einer Nazi-Familie stammende Haider, zwei Abtrünnige, zwei, die Brüche erlebt haben – der eine will keinen Bruch mehr und stolpert ununterbrochen in weltgeschichtliche Bruchstellen, der andere sucht immerfort Brüche und prallt ununterbrochen an Harmoniekonzepte – das wäre eine Geschichte für Freud oder Spielberg.

War Vranitzky, lange vor Gerhard Schröder »Genosse der Bosse«, einfach ein moderner sozialdemokratischer Kanzler? Oder war er ein konservativer Kanzler, der zufällig die falsche Partei hatte? War er, der ehemalige Sekretär von Androsch, Androschs Rache an Kreisky und seinem Erben Sinowatz? Oder war er einfach der Autor einer neuen Theorie des Pragmatismus? – zusammengefaßt in seinem Satz: »So wie es ist, kann man, pragmatisch gesehen, nichts machen!«

Was auch immer. Der sozialdemokratische Kanzler Vranitzky, dem das Wort »Sozialpolitik« nie so glaubwürdig über die Lippen kam wie das Wort »charity«, gab das Zepter an Viktor Klima weiter – und ist heute Aufsichtsratmitglied in jenem Konzern, der, entgegen der österreichischen Gesetzeslage und entgegen allen klassischen sozialdemokratischen Errungenschaften keine Betriebsratswahlen erlaubt und all jene sofort entläßt, die für einen Betriebsrat eintreten. Schlimm genug, daß das Sein das Bewußtsein bestimmt, aber im Fall Vranitzky ist so besonders erschütternd mitanzusehen, wie das Sein-Wollen sich durch das von ihm gewollte Sein entlarvt.

Der Schritt von Vranitzky zu Klima war ein zwiespältiger Fortschritt. Vranitzky hatte den Medien viel zu verdanken: Sie hatten ihm das Image eines »Pragmatikers« verschafft und diesen Begriff zugleich positiv besetzt, was vielleicht Vranitzkys Selbstverständnis entsprach, aber nicht dem herkömmlichen Verständnis dieses Begriffs. Nichts von Vranitzkys Image fand Verbürgung in der Wirklichkeit. So gesehen war er die erste radikal virtuelle Figur in der österreichischen Politik und vielleicht deshalb ein Darling der Medien – ein Kanzler nach ihrem Ebenbild. Zugleich aber konnte Vranitzky, weil wirklich einverstanden mit seinem medialen Abbild, ein konservatives Verhältnis zu den Medien pflegen: Vranitzky hat die Medien nie »bedient«, sich nie von ihnen abhängig gemacht. Er gab, wenn es sein mußte, Auskunft, und auch wenn er es wirklich so empfand, es wirkte wie designed im Sinn eines virtuellen Anforderungsprofils: Der Kanzler gibt Auskunft – eine Pflicht, der ein Mann in seinem Amt sich unterwinden muß!

Als eine Zeitschrift auf dem Cover eine Vranitzky-Fotomontage brachte, war der Kanzler entsetzt: Das war er nicht wirklich!

Niemand hätte das geglaubt, aber der erste virtuelle Kanzler der Republik wollte *richtig*stellen und klagte. Er hielt für wirklich, was er schien, und wollte daher nicht scheinen, was er war. Der Fortschritt von Vranitzky zu Klima war nur ein kleiner Gedankenschritt: Viktor Klima, ein ausgebildeter Informatiker, hatte Vranitzky mit seiner Real-Virtuell-Dialektik besser verstanden als dieser sich selbst. Er verstand dessen Erfolg und dessen Dilemma. Und er beschloß offenbar, bewußt zu machen, nein, nicht bewußt zu machen – dies höchstens irrtümlich –, sondern bewußt zu tun, was diesem bloß glücklich widerfahren war.

Vranitzky war allerhöchstens aus seiner Erstarrung kurz erwacht, um aktiv stillzuhalten, weil Kameras auftauchten, Klima aber hält sich flexibel für die Kameras bereit und erstarrt, wenn sie fehlen. Hatte Vranitzky noch wegen einer Fotomontage geklagt, so eilt Klima in die Fotostudios von Boulevardzeitschriften und läßt sich geduldig in Posen fotografieren, die wie Fotomontagen wirken. Erschienen die Realität, die Vranitzky repräsentierte, und auch die Realität seiner Person wie in einem Vexierbild zugleich auch virtuell, so wurde die Virtualität, die Klima produzierte, die letzte politische Realität Österreichs.

An diesem Punkt hatte sich etwas vollendet, das in dieser Form zwar neu, strukturell aber aus der Geschichte bekannt war – und bei allen bekannten historischen Beispielen zu mehr oder weniger großen Katastrophen geführt hat: eine politische Administration, die keine Alternativen sehen oder denken oder auch nur seriös zulassen kann; die sich völlig dem Zeitgeist ergibt; die kein Ziel mehr formulieren kann als das Beharren auf dem ewig Versprochenen und nie Eingelösten – und selbst dies nur in leerer Rhetorik; und die, wenn sie sich in einem dynamischen Prozeß ertappt, den sie zwar nicht unbedingt wollte, aber doch mitverschuldete, diesen Weg unerbittlich bereit ist zu Ende zu gehen – statt zu versuchen, einen anderen gangbaren Weg zu finden. All dies hat Barbara Tuchman, in völliger Unkenntnis Österreichs, anhand einiger historischer Beispiele in einem Buch beschrieben mit dem Titel »Die Torheit der Regierenden«.

10. »Neue politische Signale für die Menschen« *Oder:* Was ist ein »Quereinsteiger«?

Definition: Learning by earning.

11. Menschliche Signale für eine neue Politik *Oder:* Wo, bitte, ist das »gute Österreich«?

Josef Haslingers *Politik der Gefühle* war ein Meilenstein in der intellektuellen Auseinandersetzung mit dieser Republik. Dieses Buch brachte auf den Punkt, wie in diesem Land Politik gemacht wurde und womit sich kein denkendes Gemüt anfreunden konnte. Ja, kein denkendes *Gemüt*, denn es ist ja nicht so, daß die kritische Intelligenz gefühllos wäre – es waren und es sind durchaus auch Gefühle, die hochkommen, wenn man beobachten muß, wie die Mobilisierung eines verquasten kollektiven Gefühlshaushalts systematisch dazu verwendet wird, einer im besten Fall hilflos sachzwänglerischen Politik die nötige Legitimation zu verschaffen. Aber der Anspruch derer, die Haslingers Buch hochhielten, war es doch, dieser Art von Politik Rationalität, Analytik, Vernunft entgegenzuhalten. So schien es zumindest – bis österreichische Intellektuelle Gertraud Knoll als Personifikation ihrer Sehnsucht und als politische Alternative entdeckten.

Grundsätzlich gegen eine Politik der Gefühle, solange es

nur Politiker gab, deren Politik der Gefühle ihr Denken beleidigte und deren Denken ihre Gefühle in Aufruhr brachte, erlebten sie plötzlich ebendiese ewig kritisierte Politik der Gefühle als politische Innovation, als gangbare Alternative zu traditioneller Politik, als Erlösungsversprechen. Unerbittlich, wenn für politische Ziele, die ihnen suspekt waren, Stimmung gemacht wurde, wurden sie plötzlich zu den allerüberzeugtesten Anhängern der Politik der Gefühle, nur weil sie eine Kandidatin fanden, die ihnen zu versprechen schien: Ich will mich *Eurer* Gefühle annehmen, eine *Euch* angenehme Stimmung machen ...

Und seltsam: Gertraud Knolls Metaphorik – von der *Wärme in der Politik* bis zu den *Brücken über Gräben, die nicht aufgerissen werden dürfen* – erinnerte frappant an die Kirchschlägers, der als Bundespräsident nicht so sehr Staatsnotar oder Ersatzmonarch als vielmehr der Hohepriester Österreichs war. Kirchschläger hatte in seiner Glanzzeit rund 70% Zustimmung. Allerdings könnte niemand behaupten, daß er mit seiner verblasenen Metaphorik jemals als Repräsentant auch des damals zwar kleinen, aber sich doch engagiert formierenden *anderen* Österreich anerkannt worden wäre – als Gallionsfigur selbst des progressiven, aufgeklärten, kritischen Teils der österreichischen Gesellschaft.

Wenn über den Ton, den die »Klavierstimmerin« Knoll also in die Politik einbrachte, immer wieder gesagt wurde, daß er neu sei, dann zeigte dies eine erstaunliche historische Erinnerungslücke. Neu war bloß die Rezeption, die dieser Ton in Österreich erfuhr. Er bekam nun Zustimmung und Unterstützung just von dort, wo die Kritik daran bereits ein Gemeinplatz zu sein schien.

Ich habe eine Tante, die, von den Nazis nach England vertrieben, heute noch, wenn ich bei ihr auf Feinheiten der österreichischen Innenpolitik zu sprechen komme, stereotyp abwehrt und sagt: »I couldn't care less!« Erst als ich die

Erfahrung machen mußte, in einem sozialen Biotop zu leben, in dem alle aufgeklärten Standards von einer Minute auf die andere vergessen werden können, nur weil eine Blüte dieses Biotops messianisch verspricht, bei Identität der Phrasen eine Differenz der Haltung zu repräsentieren – erst da also begann ich, dieser Tante zuzustimmen. Denn mit ihrem Satz sagt sie nichts anderes als: Ich bin kein Feind meines Wohlbefindens. – Und diesen Satz werden die neuen Gefühlspolitiker vielleicht verstehen, auch wenn ich daran zweifle, daß sie dessen Geschichtsgesättigtheit begreifen können ...

Die Trennung von Kirchen und Staat steht noch immer nicht in der österreichischen Verfassung. Aber statt darauf zu drängen, die österreichische Verfassungsruine zu renovieren, reformiert das aufgeklärte Österreich die Aufklärung.

Kirchliche – und nicht nur katholische – Würdenträger sollen keine politischen Ämter einnehmen können: das ist zu Recht ein zentraler Bestandteil des Kanons der europäischen Aufklärung. Aber das »gute Österreich« wollte die Bischöfin Knoll als Bundespräsidentin. Hat es eines Beweises bedurft, daß die Aufklärung Österreich nur gestreift hat?

12. Die letzte Zäsur
Oder: Nicht Schluß, aber Ende

Die Nationalratswahlen im Oktober 1999 stellten die letzte große Zäsur der Zweiten Republik dar. Dies konnte man bereits vor der Wahl prophezeien: ohne Zweifel wird danach alles anders sein – selbst dann, wenn es bleibt, wie es ist.

Alle Zeichen standen auf stur. Das war das historisch qualitativ Neue der Zweiten Republik, zugleich das Signal für ihr Ende.

Die letzte Kärntner Landtagswahl – Testwahl ja oder nein? – hatte ein Phänomen produziert, hinter das die Republik insgesamt nicht mehr zurück konnte. Es muß als radikalste Innovation in der Geschichte westlicher Demokratien bezeichnet werden, und nicht genug damit, war die Konsequenz daraus die radikalste Innovation in der gesamten Weltgeschichte der Konsequenzen: herkömmlich nämlich werden – und zwar sowohl in Österreich als auch in der Welt – vor einer Wahl alle möglichen Versprechen gemacht, lanciert, in die Schlacht geworfen. Dieses klassische System des wechselseitigen Überbietens wurde in Kärnten erstmalig aufgehoben: Die beiden Parteien, die bundesweit regierten, reduzierten ihre Wahlwerbung auf ein einziges, auf eine radikal singuläres Versprechen: »Wenn wir auch in diesem Bundesland die Mehrheit erhalten, dann wird es keinen Landeshauptmann Haider geben!« Es war gespenstisch. Vorwahlzeit – und man konnte Kärnten auf- und abwandern, und nirgends ein Versprechen, nirgendwo eine Phrase, die irgendwie irgendwas für die Zukunft versprach. Nur dies, dieses eine, dieses einzige, dieses singuläre, dieses einzigartige, dieses noch nie dagewesene Wahlversprechen: »Was nicht ist, soll auch nicht werden!« Was immer auch sein wird, wir versprechen ausschließlich dies: Eines wird garantiert nicht sein – erhalten wir die Mehrheit, gibt es keinen Landeshauptmann Haider.

Bekanntlich passierten zwei Dinge. Erstens: die Regierungskoalition erhielt in Kärnten die absolute Mehrheit. Zweitens: zwei Wochen später war Haider Landeshauptmann von Kärnten.

Dann die Nationalratswahl: Noch nie seit einem Vierteljahrhundert hatten die beiden Koalitionsparteien dermaßen konsequent und radikal vor einer Wahl die Botschaft verbreitet, daß sie nicht mehr miteinander wollen und können. Daß eine Änderung der Regierungsform notwendig, ja überfällig sei. Nichts hatten sie programmatisch noch zu versprechen – nur dies: den Widerspruch zum anderen.

Sie waren so demonstrativ geteilter Meinung, daß tatsächlich fast in Vergessenheit geriet, daß geteilter Meinung sein in Österreich immer bedeutete, die Meinung des anderen geteilt zu haben.

»Die Neutralität ist obsolet geworden, was nicht heißt, daß wir sie abschaffen müssen!« versus »Wir verteidigen die Neutralität, was nicht heißt, daß wir sie nicht auch als obsolet behandeln können!« Es sind unglaubliche Antithesen, es wird dieses Land zerreißen – durch Kontinuität.

Masse, Medium und Macht

Am 15. Juli 1927 brannte infolge spontaner Massendemonstrationen der Wiener Justizpalast. Dies war eines jener historischen Ereignisse, in denen sich lange und komplexe Entwicklungen an einem determinierten Ort plötzlich bündeln und gleichzeitig brechen, in radikal erregenden Bildern, die weit über diesen Ort hinausstrahlen. Der Wiener Justizpalastbrand hatte weitreichende Folgen, auch literarische. Die beiden bedeutendsten Versuche, diesem Ereignis beziehungsweise der Bedeutung dieses Ereignisses literarische Gestalt zu geben, erschienen erst rund dreißig Jahre später: Heimito von Doderers Roman *Die Dämonen* 1956 und Elias Canettis literarische Studie *Masse und Macht* 1960. Canetti versteckte in seiner Massentheorie vollständig sein Initialerlebnis, den Justizpalastbrand, den er in keiner Zeile beschrieb oder zumindest erwähnte. Doderer hingegen versteckte in seiner höchst genauen Beschreibung des Justizpalastbrands eine komplette Massentheorie, ohne sie auch nur in einem einzigen Satz explizit theoretisch oder essayistisch zu formulieren.

Um die Plausibilität und Hellsichtigkeit von Doderers Massentheorie, die in seinem *Dämonen*-Roman steckt, besser vorführen zu können, möchte ich zunächst berichten, daß ich unlängst in einer Diskothek war. Es war ein Zufall, der mich in dieses Lokal geführt hatte. Ich befand mich in einer fremden Stadt, wollte nachts noch etwas trinken, und da ich zu Fuß in der Umgebung des Hotels kein offenes Lokal fand, hielt ich schließlich ein Taxi an, das mich vor dieser Diskothek absetzte. Was macht ein Mann mittleren Alters an einem Ort, der von zahllosen Teenagern frequentiert wird? Schauen. Ich empfand Distanz, vielleicht eine ironische Gestimmtheit, und schließlich so etwas wie voyeuristische Neugier.

In seinem Tagebuch schrieb Doderer übrigens, daß es »in der Kunst auf so weniges wirklich an(kommt): die Findung unterleuchteter Hohlräume, unbekannte Säle und Zimmer mitten im Bergwerksgekrabbel des Lebens«. In dieser Diskothek hatte ich beides: das Gekrabbel und den unterleuchteten Hohlraum, einen unbekannten, mir gänzlich unvertrauten Saal. In dem großen Saal mit der Tanzfläche befand sich eine Galerie, von der aus man auf die Tanzenden hinunterblicken konnte. Ich muß wohl nicht erklären, warum ich mich sofort auf diese Galerie begab.

Von dieser erhöhten Position aus erschien die Masse der Tanzenden zunächst gesichtslos, ein dichtgewebtes Gebilde, das ein Ganzes ergab, das ununterbrochen in Bewegung war. Auffällig war, daß dieses Ganze sich aus weitgehend synchronen Bewegungen der Teile zusammensetzte, etwa durch ein plötzliches Hochwerfen oder Vorstoßen der Hände.

Dadurch entstand der Eindruck eines Musters, das hauptsächlich aus Linien oder Wellen bestand, das sich aber immer wieder veränderte: manchmal schlug sich seitlich ein Keil hinein, wenn etwa einzelne von außen auch noch auf die Tanzfläche wollten, manchmal riß das Gewebe, wenn sich eine ganze Gruppe von der Tanzfläche weg zum Seitenausgang bewegte, von wo aber auch massenweise hereingeströmt wurde. Dadurch ergaben sich Umgruppierungen, aber auch stete Neuformierungen des Ganzen. Doch plötzlich begann mein Blick wie bei einem Vexierbild hin- und herzuspringen, zwischen der Masse als Ganzem, ihren Mustern und Ornamenten, und den einzelnen, die diese Masse bildeten. Einzelne traten mir so deutlich vor Augen, als stünden sie in der Masse erhöht oder durch einen Abstand von den anderen getrennt und isoliert – und tatsächlich war beides der Fall: am Ende der Tanzfläche, auf einem Aufbau, einer Art schmalen Bühne oder Steg, tanzten zwei Frauen und ein Mann erhöht vor den anderen, von denen einige ihre Bewegungen mit denen dieser Vortänzer zu synchronisieren versuchten. Und so überfüllt die Tanzfläche auf den ersten Blick auch schien, die Tanzenden hielten eigentümlich Distanz untereinander: beinahe jeder hatte um sich herum genügend Platz für oft große Bewegungskreise, die sie alle in dieselbe Richtung, der Bühne zugewandt, ausführten. Es sah aus, als würde der Eintritt in diese Masse nicht zu einem »Umschlagen der Berührungsfurcht« führen, wie es Canetti in *Masse und Macht* beschrieben hatte, sondern zu einem massenweisen Demonstrieren und wechselseitigen Respektieren der Berührungsfurcht. Da war eine Masse, die die einzelnen nicht verschluckte, nicht nur die, die erhöht tanzten, ohne daß sie sich übrigens wirklich als »Führer« oder »Dirigenten« durchsetzen konnten – sie wurden übrigens nach einiger Zeit von anderen abgelöst –, sondern auch die unten auf der Tanzfläche, von denen immer wieder einzelne als einzelne auffielen, etwa durch Besonderheiten ihrer Kleidung, ihrer Frisur oder ihrer Bewegungen.

Es klingt zwar wie eine Binsenweisheit, daß die Masse aus einzelnen besteht, aber es ist nicht selbstverständlich, daß wir sie auch sehen. Bei Canetti etwa ist die Masse grundsätzlich und ausschließlich ein Ganzes, in dem der einzelne völlig aufgeht. Der Masse als einem vom Individuum erlösten Gebilde schreibt er eine Reihe von Formationsmöglichkeiten und prototypischen Eigenschaften zu, in denen der einzelne erst recht nicht mehr in den Blick kommt. Aus einzelnen besteht bei Canetti die Macht – in Gestalt des »Dirigenten«, des »Königs« etc. –, diese einzelnen haben die ihnen gemäßen anthropologischen Masken – aber immer abseits der Masse oder dieser gegenüber.

Man könnte die Masse der in der Diskothek Tanzenden mit Canetti als »Festmasse« beschreiben, aber dadurch würden wir nur wieder aus dem Blick verlieren, daß die einzelnen in dieser Masse sichtbar blieben und auffielen.

Dieser Sachverhalt hat allerdings sehr weitreichende theoretische und praktische Konsequenzen, die sich gerade heute im Hinblick auf das, was der eigentlich hilflose Begriff »moderne Massengesellschaft« meint, als bedeutsam erweisen: Das klassische bürgerliche Individuum hat sich in einer dichten gesellschaftlichen Vernetztheit aufgelöst, in der ihm aber die Individualität erst recht zum Fetisch wird, den es allerdings nur mit Hilfe bestimmter Massenartikel oder Massenaktivitäten aufrecht halten kann, über die es sein Lebensgefühl seine Anerkennung, seine Kommunikation etc. organisiert. Das heißt, in der Masse wird nicht nur das Verschwinden des einzelnen sichtbar, sondern der einzelne immer auch erst kenntlich. Genau auf diesem Oszillieren, wenn es auch auf eine sehr einfache Weise geschah, insistierte offenbar mein Blick von der Galerie der Diskothek auf die Tanzfläche.

Diesen oszillierenden Blick hatte ich schon einmal – gelesen: in Heimito von Doderers Roman *Die Dämonen*, der auf ebenjenes historische Ereignis zurückgeht, das zum Initialerlebnis auch für Canettis Werk geworden ist. In diesem Roman werden nicht nur eine Reihe fiktionaler Erzählstränge mit dem Wiener Justizpalastbrand verknüpft, interessant ist vor allem der darin vorgeführte Blick auf die Masse:

Der Ich-Erzähler steht erhöht, nämlich am Fenster im obersten Stockwerk eines Hauses, blickt hinunter auf die Straße und beobachtet die Ereignisse des 15. Juli 1927. Dieser Blick von oben entfaltet eine Dynamik, die die Masse, die sich unten formiert, ununterbrochen zerschlägt und neu zusammensetzt, sie nicht nur in Wachsen und Zerfall, sondern vor allem auch in ihrem Verhältnis in sich – als Ensemble einzelner, die im Ganzen verschwinden – als auch in ihrem Verhältnis nach außen – Suche nach einem »Führer«, Konfrontation mit der »Ordnungsmacht« etc. – immer gleichzeitig sieht. Der Erzähler blickt hinunter und erkennt einzelne. Diese einzelnen stehen erhöht, aber unten auf der Straße erhöht. Ihr Führungsanspruch kann sich nicht durchsetzen. Im kurzen Innehalten der Masse aber erkennt man schon deren prinzipielle Sehnsucht nach Führung. Die einzelnen sind auch durch Besonderheiten etwa ihrer Kleidung definiert und identifizierbar. Der Erzähler erkennt zum Beispiel die Dichterin Rose Malik: »Sie hatte von den Massen einen Abstand von ungefähr zehn Schritten, gebärdete sich ganz wild und warf einmal beide Arme zugleich über den Kopf. Die Malik trug ein klein-getupftes Sommerkleid in Grün und Weiß, aber keinen Hut auf ihrem roten ›Bubikopf‹.« – Plötzlich sind diese einzelnen wieder spurlos in der Masse verschwunden, aber nicht die Tatsache, daß er sie nicht mehr sehen kann, befremdet den Erzähler, sondern die eigentümliche dialektische Volte, daß er ihr Verschwinden nicht sehen konnte: »Ich kann nicht sagen, daß ich gesehen habe, wie sie davonliefen, wie sie in die Menge zurückwichen.«

Die Masse gerät in Bewegung. Was Doderer jetzt beschreibt, gemahnt an die Choreographie eines Balletts ebenso wie an spätere Inszenierungen totalitärer Macht: »Es bilden sich Muster, Ornamente, es gibt eine Bewegung in eine Richtung, die beantwortet wird von einer Bewegung aus der entgegengesetzten Richtung, es gibt ein stetes Zurückfluten, Neuformieren und wieder Vorstoßen.« Und so benommen der Erzähler auch von den Ereignissen ist, die er überblickte und doch nicht überblicken konnte, es stellt sich so etwas wie ästhetische Bewunderung für dieses Schauspiel ein: »es imponierte mir geradezu«. Kaum hat sich der Blick scheinbar völlig in dieser Abstraktion aufgelöst, die nur noch die Choreographie und die durch sie hergestellten dynamischen Muster sieht – Punkte, Ketten, Reihen, Linien: »Beim Rennen löste sich die Menge in zahllose einzelne Punkte auf ... die Schutzbündler bildeten eine Kette um den brennenden Justizpalast ... Wir sahen schon die Reihen aus Karabinern feuernden Polizisten erscheinen ... man legte lange Schlauchlinien von den Hydranten her ...« –, kommen plötzlich wieder einzelne in den Blick, identifizierbare Individuen, die nun allerdings aufgeladen scheinen mit Bedeutung für das Allgemeine, für die Masse sowieso, aber auch für den historischen Augenblick: etwa in Gestalt der alten Frau, die blutend in einer Lache Milch liegt wodurch langsam die österreichischen Nationalfarben Rot-Weiß-Rot ineinander verschwimmen. Ein Bild, das sich selbst auslöscht, Bedeutungen, die der historische Augenblick, der sie gerierte, sofort wieder vernichtete. »Metaphern stürzten, Embleme brachen durch ihren doppelten Boden.«

Das ist noch nicht alles. Die Gespräche des Ich-Erzählers am Fenster, beim Blick hinunter, zeigen eine erregte Selbstgewißheit, nicht zu dieser Masse zu gehören, und doch: Er steht erhöht, aber er hat keine Macht. Er gehört zur Masse. Er muß also in sie eintreten. Der Erzähler verläßt das Haus – er muß vorbei am Hausmeister, der das Haustor versperrt und eine Stehleiter aufgestellt hat, von der auch er von oben, durch das kleine Fenster über dem Haustor, auf die Straße blickt. Der Erzähler tritt hinaus auf die Straße, hinein in die Masse – um vor ihr zu flüchten.

Interessant an dieser Romanpassage ist das Insistieren auf dem »Blick von oben«, den man nicht als elitär oder dünkelhaft mißverstehen darf: Selbst unten blickt man noch von oben. Der Hausmeister klettert unten auf Straßenniveau auf eine Stehleiter, um von oben blicken zu können. Auf den wenigen Fotos, die von den Ereignissen des 15. Juli 1927 existieren, ist dies tatsächlich als Konstante zu sehen: Auf alle Denkmäler, Statuen (etwa die großen Steinlöwen vor dem Justizpalastgebäude), Laternen und Bäume sind Menschen hinaufgeklettert – sie sind ebenfalls ein Teil der Masse, aber sie erst sind es, die das Bild der Masse als Ganzes konstituieren: als ein Gebilde, das die einzelnen verschluckt, aber – ob die Masse nun »Führer« hat oder nicht – einzelne auch immer wieder gleichsam hervorstülpt.

Auch bei Canetti gibt es übrigens einen Hausmeister, in *Die Blendung*. Dieser aber blickt knieend, zusammengekauert durch ein Guckloch, erkennt nur Schuhe, Stulpen, Hosenbeine, leitet daraus sein Weltbild ab. Der Blick dieser Figur ist tatsächlich charakteristisch auch für *Masse und Macht*: Canetti sieht das einzelne, aber nicht den einzelnen, Einzelheiten fassen sich zu klassifizierbaren Prototypen von Massen zusammen, in denen erst recht kein einzelner mehr ganz aufscheint.

1927, in ebendiesem Jahr des Wiener Justizpalastbrandes, drehte in den USA King Vidor den Film *The Crowd*, deutsch: *Ein Mensch der Masse*. Der Film erzählt die Geschichte von John Sims, der in New York versucht, »etwas zu werden«. Er kommt aus einer amerikanischen Kleinstadt mit überschaubaren Verhältnissen und einer über identifizierbare Individuen gebildeten Hierarchie. Seine Frau Mary, die Tochter italienischer Einwanderer, kommt aus dem anachronistisch gewordenen Zusammenhang einer ethnisch definierten Großfamilie. Beiden Herkunftsmodellen gegenüber stellt die großstädtische Massengesellschaft die geschichtlich sich durchsetzende Moderne dar.

Interessant ist der Blick, den die Kamera eröffnet, um Johns Eintritt in die Masse, die er verachtet, der er aber angehört, aus der er sich erheben will und in die er zurück muß, zu zeigen: Die Kamera fährt an der Fassade eines Hochhauses hinauf, dringt in ein Fenster ein und zeigt, auch im Inneren von oben, ein Ornament von Hunderten von Schreibtischen, an denen eine gesichtslose Masse von Angestellten arbeitet, um sich schließlich die Nummer 137, nämlich John Sims, herauszugreifen.

Diese Kamerafahrt produziert den reziproken Blick Doderers, der aus dem Fenster hinaus auf die Straße hinunterblickte. Zugleich ist er strukturell mit diesem identisch: er besteht, selbst beim Eindringen in einen Innenraum, auf der Sicht von oben, und er identifiziert noch in der Gesamtschau des Massenornaments das einzelne Individuum. Der ganze Film wird von dieser Dialektik angetrieben, bis zum Finale, in dem John Sims, in seinen Ansprüchen gescheitert, sich dennoch als erlöst zeigt: Er hat seinen Platz in der Masse akzeptiert. Am Ende sieht man ihn und seine Familie in einem Theater sitzen, hemmungslos lachend. Die Kamera zieht sich langsam nach oben zurück, die Familie verschwindet in der Masse von Hunderten sich vor Lachen biegender Körper, bis sich die Einstellung in einem abstrakten Muster auflöst.

Dieser Film, übrigens gemeinsam mit einer Reihe anderer dieser Jahre, markiert den Beginn der Selbstreflexion der modernen Massengesellschaft durch ein Massenmedium. Natürlich gab es damals auch Versuche, ganz andere Sehweisen auf Masse und Individuum zu entwickeln, so wie es auch politisch konkurrierende Modelle der gesellschaftlichen Massenorganisation gab: die dünkelhafte Distanzierung von einer als bedrohlich empfundenen und in Zaum zu haltenden Masse ebenso wie die emphatische Identifikation mit einer heroisierten Masse (der soldatischen oder der proletarischen) – aber als modern, im Sinne des Begriffs Moderne und auch im einfachen Sinn von zeitgenössisch, erscheinen uns heute nur jene Bilder, wie sie etwa King Vidor oder Doderer vorgegeben haben, die sich letztlich als paradigmatisch auch für das aktuelle Selbstbild der entfalteten Massengesellschaft erweisen.

In einer Zeitschrift, die ich zum Frühstück las, befand sich zum Beispiel ein ganzseitiges Inserat, das, unter dem Titel »Der Businesspark des neuen Jahrtausends«, ein Foto zeigt, auf dem eine Gruppe von Frauen abgebildet ist, die alle in der gleichen Körperhaltung den gleichen Gegenstand in Händen halten, nämlich ein Autolenkrad. Das Bild ist von leicht erhöhter Position aufgenommen, es wirkt wie ein Molekül einer von King Vidor gefilmten Massenszene. Der Abstand zwischen den einzelnen ist allerdings etwas größer geworden – dafür sind die einzelnen aber mitsammen völlig identisch: Es handelt sich um immer dieselbe Frau. Auf diese Weise wird besonders radikal der Anspruch ausgedrückt, daß alle gleich sind, während aber eben dadurch auch dem einzelnen identifizierbaren Individuum gehuldigt wird – ist nicht jeder von uns ein einzelner? Zugleich stellt diese Radikalisierung der Dialektik von einzelnem und Masse erst eine völlige Harmonie im Erscheinungsbild her. In der Schlußeinstellung von King Vidors Film sahen wir die glückliche Masse, die glücklich ist, weil jeder einzelne glücklich ist, das ergab in der Gesamtschau ein zusammenhängendes Muster und in seiner Bewegung eine Choreographie, die durch die Gleichheit der Bewegungen (alle Oberkörper biegen sich vor Lachen), aber noch nicht durch deren völlige Gleichförmigkeit funktioniert. Erst jetzt, auf dem Bild des Businesspark-Inserats, erscheinen Ornament und Choreographie der Masse einzelner als wirklich glücklich vollkommen.

Historisch war es in der Moderne, wenn wir ihr nach diesem Jahrhundert überhaupt noch einen Sinn zuschreiben wollen, genau darum gegangen: Um die Vervollkommnung der Idee des Individuums, was, wenn Unterschiede durch Geburt oder Stand etc. dafür keine Barriere mehr sein dürfen, das Versprechen bedeutet, das Glück der Masse herzustellen. Die Einlösung dieses Versprechens heißt aber auch, daß Glück nicht mehr anders als in der Masse zu haben ist, durch ein wohlgeordnetes, die Distanz zwischen den einzelnen auch durch Verfassung und Recht geregeltes, geglücktes Verhältnis des einzelnen zu den anderen, die sich als gleiche voneinander unterscheiden.

Ein großes Schuhgeschäft in unmittelbarer Nähe meiner Wohnung wirbt mit dem Slogan: »Nackt sind alle Füße gleich«. Dieser Satz ist richtig: Alle nackten Füße sind durch dasselbe charakterisiert, nämlich durch ihre radikale Individualität. Erst durch einen Massenartikel, durch Schuhe einer bestimmten Marke, können sie ihre Individualität in der Masse entfalten.

Mehr noch als Canetti entsprach also Doderers Blick auf die Masse dem, was ich zufällig von der Galerie eines Tanzlokals sehen konnte: Dieser Blick Doderers korrespondiert nicht nur bis ins Detail mit dem amerikanischen Kamerablick, der unsere heutigen Sehgewohnheiten zweifellos entscheidend mitgeprägt hat, er scheint noch als Grundierung heutiger Selbstbilder der entfalteten Massengesellschaft durch, auf denen Massen immer dafür einstehen, daß jeder einzelne glücklich gemacht werden kann. Die Menschen, die ich auf der Tanzfläche sah, waren tatsächlich so glücklich, wie sie konnten. Und die Gleichförmigkeit ihrer Bewegungen zeigte nicht nur, daß die einzelnen ununterscheidbar wurden, sondern auch, daß jeder einzelne bei sich war. Einigen gelang es weniger, sie mußten sich daher tanzend besonders hervortun, zumindest dies konnten sie. Wer das verachtet und denunziert, muß bedenken, daß dieses zwiespältige entfremdete Glück immerhin ein Symptom für eine gesellschaftlich doch geglückte Vermittlung von Individuum und Masse ist, deren historische Alternative nur die totalitär erzwungene war: In Form von Faschismus und Stalinismus.

Doderer hat in den *Dämonen* den drohenden Faschismus übrigens mitreflektiert. Canetti hat in Masse und Macht nicht nur explizite Hinweise auf den Wiener Justizpalastbrand vermieden – obwohl die Prämissen seiner Denkanstrengung sich offensichtlich seinen damaligen Erfahrungen verdanken –, er hat sein Werk auch völlig gegen den Fortgang der Geschichte, deren Zeitgenosse er war, abgedichtet: Er nahm weder auf die Massenorganisations- und Führermodelle von Faschismus und Stalinismus Bezug noch auf jenes »amerikanische Modell«, das sich in den späten zwanziger Jahren in Film und Literatur als geschichtsmächtige Möglichkeit einer Versöhnung von Masse und Individuum darzustellen begann und zu dem auch das befreite Europa schließlich zurückgefunden hat, was in den Jahren der Fertigstellung von *Masse und Macht* in seinen Konsequenzen schon deutlich sichtbar war. Canettis fixe Idee war das Urbild, das Prototypische. Damit könnte man Homologien sehen, die die »Festmasse« in der beschriebenen Diskothek mit einem Fest von Buschmännern hatte, die Unterschiede und das historisch Spezifische aber nicht mehr. Und vor allem ist in keiner der prototypischen Masse-Formationen Canettis der einzelne mehr sichtbar. Doderer konnte als Romancier gar nicht anders, als einzelne im Blick zu behalten. Aber auch bei einem Romancier ist nicht ausgemacht, daß er einen Blickwinkel findet, der, wenn wir ihn verallgemeinern, also in Theorie übersetzen, der weiteren Entwicklung und den neuen Erfahrungen standhält. Doderers Blick von oben wurde oft als dünkelhaft mißverstanden, und die Bedeutung seiner Beobachtung, daß in Massen einzelne immer wieder »hochklettern«, buchstäblich, aber auch metaphorisch, sozusagen in unserem Blick hochklettern, wurde weitgehend übersehen. Meine Beobachtungen von der Galerie einer Diskothek mögen als zeitgenössischer Beleg banal und allzu alltäglich sein, aber gerade die in unserem Alltag erreichte Banalität könnte uns auch beruhigen.

Als großes einschneidendes historisches Ereignis in unserer Lebenszeit wäre mit den Erfahrungen Doderers und Canettis vom 15. Juli 1927 strukturell vergleichbar: der Tag, als nicht einzelne einer Masse, sondern eine Masse hochkletterte, sich aufstülpte, oben stand und hinunterblickte, triumphierend, um als Masse eine Befreiung zu feiern, die jeder als Befreiung des Individuums empfand – der 9. November 1989, als die Berliner Mauer sich öffnete. Diese Bilder haben wir immerhin auch sehen können – zumindest in den Massenmedien. Natürlich ist die Geschichte nicht in diesem Moment stehengeblieben, als Individuum, Masse und Macht eins wurden. Wie sind nun ein gesellschaftlicher Alltag, Masse und Macht, wenn sie wieder auseinanderfallen, zueinander vermittelt? Wie ist es um das Medium, das »und« von Masse und Macht bestellt? Dazu möchte ich einige Beobachtungen anfügen, die den vorhin beschriebenen zwar gleichen, aber in ihrer Identität vielleicht doch Hinweise auf Differenz und Vermittlung geben.

Übersiedeln wir von der Diskothek in die Oper. Vor einiger Zeit besuchte ich die Wiener Staatsoper, weil dort ein Fest stattfand, das ich mit voyeuristischer Neugierde besuchte: gefeiert wurde das Erscheinen der einhundertsten Ausgabe der österreichischen Wochenzeitschrift *News*. Dieses Fest mobilisierte Massen, um ein Massenmedium zu feiern, zugleich war es eine Demonstration des Zusammenhangs von Massenmedium und Macht, indem es die Mächtigen des Landes, vom Präsidenten der Republik abwärts, bei diesem Fest versammelte.

Einer der Gründe für den Erfolg der Zeitschrift, die dieses Fest gab, ist, daß sie regelmäßig Listen von Menschen veröffentlicht, die gleichsam »über der Masse stehen«, weil sie in irgendeinem Zusammenhang besonders »wichtig« sind. Der Witz dieser Listen liegt darin, daß sie so lang sind, daß die darin verzeichneten Namen sofort wieder eine Masse ergeben. Mir scheint, daß diese Listen, genauso wie die »Festmasse«, die ich hier in der Oper sah, den »Prototyp« der zeitgenössischen Masse, nach den historischen Erfahrungen des letzten halben Jahrhunderts, darstellen: Die Masse, die aus Individuen besteht, von denen jedes einzelne, während es von der Masse verschluckt wird, zu Recht noch Wert darauf legt, eines zu sein. Was ich von einer Loge der Oper aus an Massenornamenten beobachtete, unterschied sich kaum von meinen Beobachtungen in der

Diskothek – mit einem Unterschied: Die einzelnen, die sich hier hochstülpten, standen nicht für das Individuum in der Masse, sondern für die Macht. Es trat zum Beispiel der Bürgermeister von Wien auf die Bühne, die Personifikation eines von Canettis Prototypen der Macht.

Canetti schrieb: »Es gibt keinen anschaulicheren Ausdruck für Macht als die Tätigkeit des Dirigenten. – Der Dirigent steht – er steht allein – er steht erhöht – er gewöhnt sich daran, immer gesehen zu werden, und kann es immer schwerer entbehren.«

Nach einer kurzen Ansprache drehte der Bürgermeister dem Publikum den Rücken zu und streckte einen Arm hoch. »Er steht an der Spitze und hat dem Publikum den Rücken zugekehrt ... Er gibt an, was geschieht, durch das Gebot seiner Hand.« (Canetti) Die Hand des Wiener Bürgermeisters gab tatsächlich an, was geschah: sie wurde zum Symbol allerdings der Hilflosigkeit der Macht gegenüber Entwicklungen, die, obwohl sie den Massenmedien zufolge keiner will, wieder einmal geschehen. – Die Finger dieser Hand sind von einer Briefbombe, die Rechtsradikale an den Bürgermeister geschickt hatten, weggesprengt worden. Er drehte dem Publikum den Rücken zu, rief, daß er das Massenmedium liebe, hob seine fingerlose Hand, es war ein Einsatz, auf den laut und emphatisch eine bekannte Melodie ertönte – ausgerechnet die Melodie von *Goldfinger.*

Mädchen in goldenen Trikots sprangen hinter der Bühne hervor und warfen Exemplare der Jubiläumsausgabe der Zeitschrift ins Publikum, aus dem sich Aberhunderte Arme Richtung Bühne streckten.

Der Herausgeber der Zeitschrift trat auf und verkündete voll Stolz, daß der Bürgermeister demnächst sein Amt niederlegen und in den Zeitschriftenverlag eintreten werde. Plötzlich war der Bürgermeister verschwunden. Mit der Bekanntgabe seines Eintritts in das Massenmedium war er von den Massen verschluckt.

Natürlich nicht ganz. Immer wieder war er da und dort sichtbar, identifizierbar. Und er sollte ja auch der Masse als einer, der über sie hinausragt, erhalten bleiben, durch seinen Eintritt in den Zeitschriftenverlag als Ikone seines Ruhms – der Ruhm ist in Canettis Masse und Macht eine Variante der Macht. Aber mit diesen Typisierungen Canettis ist just das nicht zu fassen, was das Rätselhafte und Schockierende dieser Show von Masse und Macht, dieses Auftritts des Dirigenten war: nämlich die Komposition – aus fingerloser Hand, der Melodie *Goldfinger* und den Hunderten zur Bühne hingestreckter Hände, die aber nicht dem »Dirigenten« galten, sondern dem Medium. Auf dem Cover der Jubiläumsnummer dieses Mediums, das nun ins Publikum geworfen wurde, war allerdings auch dieser Bürgermeister abgebildet. Es wurde also durchaus ihm, aber vermittelt gehuldigt, vor allem aber war deutlich, daß er die Inszenierung nicht mehr wirklich »in der Hand hatte«: der Gestus der Macht, die erhobene Hand, paßte nur noch zufällig, als prototypische, in diese Inszenierung. *Goldfinger* konnte weder des Bürgermeisters Idee noch sein Wunsch gewesen sein. Man kann sich nun sehr einfache Vorstellungen davon machen, welche Interessen er hat, um in solch einem Spiel mitzuspielen, welche Interessen das Massenmedium hat und welche die Masse. Aber wie funktioniert die Vermittlung, wieso funktioniert die Inszenierung, sogar wenn Massenmedium und Dirigent zu verschiedenen Partituren greifen? Hier empfand ich besonders stark das Defizit von Canettis Werk. Er liefert Prototypen von Massen, Prototypen von Macht in individueller Gestalt – er verrät aber nichts über deren Vermittlungszusammenhang. Wie konnte Canetti mitten im zwanzigsten Jahrhundert eine Theorie von Masse und Macht schreiben, ohne daß aus dem »und« des Titels eine Theorie der Massenmedien herauspurzelt? Seine »Buschmänner«, wie er selbst seine ethnographischen Quellen nannte, in Ehren, aber in *Masse und Macht* finden wir nicht einmal einen Hinweis auf die Buschtrommel.

Als ich die Loge verließ, um mir etwas zu trinken zu holen, hörte ich das Gerücht, daß nicht nur dieser künftige Ex-Bürgermeister, sondern auch einige andere, die als einzelne in der Masse als Mächtige identifizierbar waren, über Strohmänner Anteile an dieser Zeitschrift hielten. Sofort dachte ich, daß dies, falls die Information stimmte, nicht nur ein demokratiepolitisches Problem sei, sondern vor allem und erst recht auch eines im Hinblick auf jede zeitgenössische Debatte über »Masse und Macht«. Das Medium ist offenbar nicht so unschuldig irgendwo zwischen Masse und Macht eingeschoben, um ganz fraglos der Mittler zu sein. Ist es nicht vielmehr selbst Macht, ein Teil der Macht? Medienmenschen können an die Macht gelangen, Mächtige wieder in die Medien eintreten, als Teilhaber oder Mitarbeiter oder beides – das ist ein Austausch zwischen Medium und Macht, der einfach gegenüber den Massen stattfindet, Massenmedium und Dirigent erscheinen hier als zwei Dirigenten, die nach zwei Partituren spielen, allerdings mit einem Gestus: den Massen Macht vorzuführen.

Andererseits: Ein Medium, das als Bestandteil der Macht bloß der Selbstdarstellung der Macht diente und sie an die Massen vermittelte, würde selbst nicht mehr als Macht erscheinen, sondern als von der Macht gegängelt und wäre daher für die Masse unglaubwürdig. Das Medium muß also, um als Macht und als Massenprodukt tatsächlich Mittler zwischen Masse und Macht sein zu können, mit der Masse genauso verschmelzen wie mit der Macht. Wie aber funktioniert das?

Mir ging immer noch die Information über die stille Beteiligung des Bürgermeisters an dieser Zeitschrift durch den Kopf.

Der Strohmann. Ist er der gesuchte Prototyp des Mittlers, derjenige, der unsichtbar das Vermittlungsspiel von

Masse und Macht betreibt? Nein, so verführerisch der »Strohmann« als Begriff auch wäre, er ist nicht der Mittler, kann es nicht sein. Er ist nur einer Seite verpflichtet, nämlich den einzelnen, die er vor der Öffentlichkeit abschirmt. Der Strohmann kann die Vermittlung nie für beide Seiten herstellen. Um die Frage nach der Vermittlung von Masse und Macht zu klären, ist nicht die Information über geheimnisvolle Strohmänner das Entscheidende – der *Informant* selbst wäre es.

Was gerade noch im dunkeln lag, durch ihn ist es in ein schiefes Licht gesetzt. Das schiefe Licht folgt dem Gefälle von Masse und Macht. Selbst zu mir, einem Menschen aus der Masse, gelangte diese vertrauliche Information über die Macht. Der Informant bewegt sich in der Masse, er ist ein Teil von ihr, kann mit jedem einzelnen der Masse reden. Er kennt die einzelnen der Masse, kann sie ansprechen, weiß genug von jedem einzelnen, um für seine Informationen einen fruchtbaren Boden vorzufinden. Er ist in der Masse der Freund der Masse, er nährt ihren kritischen Blick auf die Macht. Zugleich aber ist er ein Teil der Macht. Man merkt: Er kennt die Mächtigen, weiß über sie, was andere nicht wissen, er hat Informationen von ihnen. Das Fest eines mächtigen Massenmediums ist sein Fest. Hier feiert er seine Verbindung zu beiden, zu Masse und Macht. Was er hier jemandem zuraunt, ist gerade erst ihm zugeraunt worden. Seine Informationen müssen nicht stimmen, aber im Vermittlungszusammenhang können sie nur so funktionieren: Sie sind unbeweisbar, aber sie erklären vieles.

Der Typus des Informanten ist der wahre Mittler zwischen Masse und Macht. Er vermittelt zwischen einzelnem und Masse, indem er selbst der Masse angehört, allerdings als einzelner, der die Masse als lauter einzelne sieht und kennt. Und er vermittelt zwischen der Masse insgesamt und der Macht, indem er sich in der Masse über sein Nahverhältnis zur Macht und gegenüber der Macht über seine Kenntnisse der Masse definiert. Er kennt nicht nur die einzelnen der Masse, er kennt auch von der Macht, ihren Repräsentanten und Institutionen immer einzelne. Er erringt das Vertrauen der Masse, indem er von unbekannten Plänen, Absichten und Taten der Macht zu raunen weiß, und er erringt das Vertrauen der Macht, indem er selbst den Gedanken der Masse zur Aktenkundigkeit verhelfen kann. Sein Spezialgebiet ist beiderseits das Unbeweisbare, darum ist er so wichtig: Ohne ihn wäre nichts bezeugt. Er stiftet also die Realität, auf der sich Masse wie Macht bewegen. Ratschlag und Verrat sind ihm im Gestus eins, bedingungslos treu ist er dem Verhältnis, das er herstellt. Ob er »das beste Restaurant der Stadt« oder mögliche politische Szenarien ausplaudert, es ist strukturell dasselbe: eine Ansichtssache, die Ansichten erst ermöglicht.

Alles, was er weiß, erfährt, denkt, weitergibt, wird in seinem Kopf zum System, dem er dient. In diesem System fehlt aber immer als Mitgedachtes ein zentrales Element: Er selbst. Elemente sind für ihn aber immer nur die anderen. Er ist daher immer in seinem Element, aber nie bei sich. Deshalb käme er nie auf den Gedanken, zu sein, was er ist.

In roher Form existierte der Typus des Informanten in allen totalitären Gesellschaften: als Denunziant. In den offenen Gesellschaften, die sich nicht zuletzt als Informationsgesellschaften begreifen, erscheint er unweigerlich domestiziert – nämlich nicht nur von der Macht, sondern auch von den Massen legitimiert. Er ist öffentlich das Medium, aber erst Masse und Macht vertraulich sein Ohr leihend wird er zum mächtigen Massenmedium. Die Zeitschrift, die sich hier feierte, wirbt daher mit dem Slogan »Worüber ganz Österreich spricht« und eröffnet ihre Berichterstattung jede Woche mit der Seite »Top secret«.

Die Identität zwischen dem, worüber alle sprechen, und dem, was niemand weiß, stellt dieses Medium besonders exzessiv mit eben der Technik her, der sich jeder Denunziant bedient: *Ganz unter uns* – in der Fachsprache heißt das *exklusiv.* Verrät das Medium zum Beispiel exklusiv, daß ein bestimmter Minister zurücktreten werde, dann kann es eine Woche später ebenso exklusiv bekanntmachen, warum dieser Minister jetzt doch nicht zurückgetreten ist. Das klassische Informationsmedium aber muß warten, bis etwas faktisch geschehen ist – aber dann wissen es auch alle anderen. Inzwischen hatte dieses Medium bereits zwei Exklusiv-Geschichten. Die Exklusiv-Geschichte hat die zwanghafte Tendenz, sich von überprüfbarer Faktizität zu befreien, und zugleich die fixe Idee, die Faktizität zu beherrschen. Genau dieses Wechselspiel von Machtattitüde und objektiver Beliebigkeit macht auch das Lebensgefühl der modernen Masse aus, wie sie sich auf diesem Fest darstellte: es ist ein massenhaft herstellbares Gefühl von Exklusivität.

Gerade als ich gehen wollte, sah ich den Redakteur, mit dem ich zuvor gesprochen hatte, angeregt mit dem Bürgermeister reden. Die Frage, wer der Strohmann sei, über den dieser Bürgermeister seine Hand im Spiel dieses Mediums hat, beziehungsweise ob dieser Strohmann überhaupt existiere, hat, dachte ich nun, etwas Anachronistisches. Weder Masse noch Macht wollen noch Aufklärung über sich selbst. Der nunmehrige Exbürgermeister stand für eine ganz andere Frage, über die ganz Österreich sprach und die zugleich top secret war. Wer ist der Täter, wer ist der Briefbombenterrorist?

Wenige Wochen nach diesem Fest machte *News* tatsächlich mit der Titelgeschichte »Der Täter« auf. Im Heftinneren erfuhr man, daß die Polizei den Täter zwar noch immer nicht ausgeforscht hatte, aber die Zeitschrift hatte ein »Täterprofil«: »Der Täter ist zwischen 40 und 60 Jahre alt. Familienstand: Unverheiratet, geschieden oder verwitwet. Beruf: Beamter im öffentlichen Dienst oder Rechtsanwalt.

Möglicherweise auch arbeitslos oder in Pension«. Was ist sein Ziel? »Ein Rechtsruck«. Das alles wußte *News* exklusiv. Ganz unter uns: Ergibt *dieses* Täterprofil in diesem Land nicht schon wieder eine Masse?

Der Mitmacher

Kaum ein Politikerimage ist so positiv besetzt und dabei so zwiespältig wie das des *Machers*. Was ist ein Macher?

Ein Tischler, der tischlert, ein Autorennfahrer, der Autorennen fährt, ein Dichter, der dichtet, gelten nicht als »Macher«. Dabei tun sie unausgesetzt nichts anderes, als »machen« – nämlich das, was man von ihnen erwartet und was sie auch können.

Von politischen Entscheidungsträgern erwartet man gemeinhin, daß sie Entscheidungen treffen und auch den Willen haben, sie durchzusetzen. Warum wird es also besonders akklamiert, wenn ein Politiker diese Selbstverständlichkeit zu erfüllen scheint? Anders gefragt: Warum gilt ausgerechnet Viktor Klima als Macher? Da es offensichtlich wenig Anlaß für Emphase gibt, bloß weil einer etwas macht, das man von ihm erwartet und das er auch kann, muß es, im Fall von Politikern, einen anderen, einen hintergründigen Sinn des Begriffs »Macher« geben – und um den zu begreifen, muß man lediglich in den österreichischen Medien die innenpolitische Berichterstattung mitverfolgen. Ein Macher ist hierzulande ein Politiker, der auf besonders dynamische Weise all das, was er zu machen hat, eben *nicht* tut, der also seine Macherqualitäten im *Vermeiden* beweist: Er will nichts machen, wofür er vom Boulevard angemacht wird. Ein Macher ist ein Politiker, der sich eben nicht für Entscheidungen, sondern für die Reaktionen des Boulevard bereithält. Er krempelt zum Beispiel vor Fotoapparaten die Ärmel auf, um dann, wenn der Film ausgeknipst ist, das Hemd zu wechseln und zu denken: Ich habe gezeigt, daß ich ein Zupacker bin, aber wirklich zupakken – nein, *das* mach ich nicht, ich könnte mir die Finger verbrennen. Der Journalismus, den er bedient, ohne etwas zu tun, das diesen verstört und von dem er Hilfe bei der bloßen *Imagebildung* erwartet und nicht Auseinandersetzungen mit den von ihm getroffenen Entscheidungen, dieser Journalismus bedankt sich bei solchen Politikern dadurch, daß er *ausnahmsweise* nicht Ressentiments verbreitet, sondern sogar die Wahrheit: Er gibt diesem Politiker das Attribut »Macher« – und damit meint der Boulevard: Er ist ein Mitmacher in unserem Spiel.

Es gibt in Österreich keine Paparazzi, die imstande wären, mit Kameras, selbst mit den allerlängsten Teleobjektiven, den Kanzler in flagranti dabei zu erwischen, wie er gerade Punch zeigt. Aber es gibt den Kanzler, der jederzeit bereit ist, in das Fotostudio einer Illustrierten zu eilen, um sich dort mit den allergrößten roten Boxhandschuhen fotografieren zu lassen. Natürlich ist es nicht *diese* Willfährigkeit, die vom Boulevard mit positiv besetzten Imageattributen belohnt wird, sondern des Kanzlers Willfährigkeit schlechthin, die eben auch bis zu *dieser* Willfährigkeit geht. Das ist der Grund, warum etwa dieses Klima-Cover mit den roten Boxhandschuhen auf solch trübsinnig-machende Weise so vexierbildhaft ist: Man sieht einen Macher, plötzlich springt das Bild um, und man sieht: einen Hampelmann. So ist, wenn natürlich auch ungewollt, tatsächlich die Wahrheit abgebildet: Klima ist nur insofern ein Macher, als er konsequent nur eines macht: nämlich das, was die Boulevardmedien wollen. Und was die Boulevardmedien wollen, ist, daß Klima bestimmte Dinge *nicht* macht, zum Beispiel eine vernünftige Medienpolitik.

Wäre es ein komplexes, dialektisches Spiel, das der Kanzler treibt, indem er schamlos den Boulevard bedient, um sich gegen allzu billige Kritik an einer grundsätzlich vernünftigen Politik, die er zugleich macht, zu immunisieren – man könnte seine populistische Willfährigkeit immer noch verachten, aber es fiele schwer, dagegen zu polemisieren – er hätte allzuviel auf der Habenseite. Nun ist aber Viktor Klima eindeutig dadurch charakterisiert, daß er sich ausschließlich durch Nicht-Machen gegen Kritik immunisiert, daß er, nur weil er nichts macht, mit dem Macher-Image belohnt wird. In der Literatur ist dieses Phänomen übrigens wohlbekannt, da heißt es Henry-Bech-Syndrom. Henry Bech, eine Figur von John Updike, ist ein Schriftsteller, der immer berühmter und beliebter wird, solange er nichts veröffentlicht. Am Ende steht er, der geniale Komplize der literarischen Feuilletons, knapp vor dem Nobelpreis. Als er nun doch etwas veröffentlicht, weil er sich mittlerweile für völlig unantastbar hält, wird er gnadenlos verrissen und stürzt in die Bedeutungslosigkeit ab. Viktor Klima ist die lupenreine Version des Politikers mit dem Henry-Bech-Syndrom. Je konsequenter dieser Macher nichts macht, desto überspannter werden die Erwartungen und desto weihrauchschwingender reagieren die Medien. Alles, was man gemeinhin von einem Spitzenpolitiker erwartet, ist bei ihm vergessen und auf den Kopf gestellt. Klima ist Regierungschef – regiert er? Nein. Am Beispiel der Pensionsreform läßt sich besonders schön zeigen, wie er dynamisch die Ärmel nur deshalb aufkrempelt, um bequemer seine Hände in den Schoß legen zu können. Hat er ein Konzept zur Reform des Pensionssystems ausgearbeitet, es schließlich als Gesetz formuliert und dem Parlament vorgelegt, so wie es in zivilisierten Demokratien selbstverständlich wäre? Nein. Klima ist hilflos, weil die Sozialpartner sich nicht einigen können. Ein »Macher«, der wirklich einer wäre, hätte die Krise der Sozialpartnerschaft als seine Chance begriffen. Seit Jahren, wenn nicht seit Jahrzehnten wird die Sozialpartnerschaft als demokratiepolitisch höchst bedenkliche »Nebenregierung« kritisiert. Daß sie sich jetzt endlich in Auflösung befindet, während der Parlamentarismus tendenziell stärker wird, hätte Klima Möglichkeiten eröffnet, die kein österreichischer Kanzler vor ihm hatte. Aber was machte er? Er promovierte sich zum wohl einzigen Regierungschef der Welt und der gesamten politischen Geschichte, der eine Nebenregierung anfleht, endlich besser zu funktionieren.

Der Regierungschef hat eine Regierungsmannschaft. Wann ist es jemals passiert, daß einzelne Mitglieder einer Regierung Äußerungen getätigt oder Taten gesetzt haben, die nicht bloß sehr kritikwürdig, sondern buchstäblich unter aller Kritik waren, ohne daß der Kanzler das gemacht hat, was von ihm zu erwarten ist: nämlich ein klärendes Wort, eine Zurücknahme des Deliriums seiner Mannschaft. Seit Beginn der Kanzlerschaft des Machers Klima müssen wir uns offenbar daran gewöhnen, daß dies nicht mehr gemacht wird. Zwei Beispiele: Der Verteidigungsminister Fasslabend bezeichnete in »Informationsbroschüren« Griechenland – wie Österreich Mitglied der europäischen Union, im übrigen Wiege der Demokratie und Schoß der abendländischen Philosophie – als Hort »orthodoxer Horden, gegen die das österreichische Bundesheer geistig aufrüsten« müsse. Fasslabend ist Regierungsmitglied, aber Klima ist der Chef. Was hat Klima dazu gesagt, was hat er gemacht? Zweites Beispiel: Wittmann. Noch nie hat es eine so einhellige, so profunde Ablehnung einer Branche gegen einen Mann gegeben, der politisch für sie zuständig war, wie im Fall des unseligen Staatssekretärs. Könnte man sich etwa einen Wirtschaftsminister vorstellen, der von allen, aber wirklich von allen Wirtschaftsexperten nur verhöhnt und verlacht wird? Wenn ja, dann nur deshalb, weil wir uns seit Wittmann im Klima-Österreich an den Gedanken gewöhnen müssen, daß dies jederzeit möglich ist. Wie reagiert nun der Chef auf die einhellige Kritik an seinem Sekretär, was macht der Macher? Das, was ein Macher von Boulevards Gnaden einzig machen kann: nichts, nämlich nichts anderes, als den peinlichen Versuch, diese Kritik durch einen Deal mit dem Boulevard zu konterkarieren. In exakt der Stunde, in der Wittmann einer wirklich verblüfften Öffentlichkeit Dominique Mentha als designierten Volksoperndirektor präsentierte, erschien die neue Ausgabe von *News* – bereits mit der Mentha-Geschichte. Das war natürlich nicht recherchiert, das war gesteckt. Ich bin lieb, du bist lieb, und eine Hand wäscht die andere in Unschuld. Man sieht, worauf Klima setzt. Qualifizierte Kritik? Macht nichts! Handlungsbedarf? Was soll ich machen? Boulevard? Au ja, mach' ma!

Nun kann man vielleicht die Kunst ungestraft politisch verhöhnen – gefällt dem Boulevard, kostet Wählerstimmen nur unter der Wahrnehmungsgrenze, aber: Der Kunststaatssekretär ist gleichzeitig EU-Staatssekretär – just jetzt, wenn Österreich den EU-Vorsitz übernehmen wird. Wie wird der Kanzler mit *dieser* Peinlichkeit umgehen? Natürlich gar nicht. Der Macher hat nicht einmal Veranlassung, sich einen Gedanken zu machen, hat doch die Boulevard-Presse bereits geschrieben: »US-Präsident Clinton lobt Österreich: Wir sind gut erzogen«.

Kann es sein, daß die österreichische Intelligenz deshalb immer lustloser wird, sich zur innenpolitischen Situation in Österreich zu äußern, weil denkende Menschen es verabscheuen, Wortwitze mit einem Eigennamen zu machen? Wie kann man über das geistige und politische Klima in Österreich schreiben, wenn der österreichische Kanzler Klima heißt?

Aber jetzt ganz ohne Wortwitze, hart zur Sache: Kann und muß man nicht von einem – sozialdemokratischen – Regierungschef zumindest erwarten, wenn er schon so gerne mit Boxhandschuhen posiert, daß er zumindest die Deckung hochnimmt, wenn ein Frontalangriff auf das bißchen Geist der Republik, auf das Wenige an aufgeklärten Standards dieses Landes, auf das Minimum von Liberalität in Österreich stattfindet? Könnte man nicht erwarten, daß er zumindest besonders klare Worte findet – als Chef jener Partei, zu deren politischem Bildungskanon der Satz gehört: »Auch Worte sind Taten«? Aber nein! Es ist gespenstisch: Es ist nichts zu hören als das Rascheln des Ärmelaufkrempelns und das Klicken der Kameras – Österreich ist heute das Paradies des politischen Analphabetismus, da ist kein Wort, kein Satz, nichts, das man aufschreiben, setzen und drucken und zitieren könnte. Die österreichischen Bischöfe kündigten den Konsens der katholischen Kirche mit der Zweiten Republik, und der Macher schweigt. Die Bischofskonferenz gab bekannt, daß die Kirche zum politischen Katholizismus zurückkehren wolle, und der Macher lacht in die Kameras. Die Bischofskonferenz verlautbarte sinngemäß, daß ohnehin niemand die Zurückhaltung, die die Kirche politisch in den letzten vierzig Jahren gezeigt habe, und die sogenannte »Äquidistanz« zu allen Parteien ernst nehmen konnte, denn natürlich sei klar, daß der Kirche eine christliche Partei lieber sei als eine nicht dezidiert christliche Partei. Was beim früheren Bundespräsidenten Kirchschläger in der alten Windstille Österreichs noch eher als kabarettistischer Standpunkt durchging (zusammengefaßt: »Ich will ein Bundespräsident für alle Österreicher sein – für die katholischen auf der einen und die christlichen auf der anderen Seite«), wurde nun von der Kirche als radikale Kampfansage an die Tugenden der Republik neu formuliert. »Kirche will sich wieder politisch einmischen«, war Schlagzeile in österreichischen Zeitungen. Nun gibt es Zeitungen, die nachfragen. Daher war zum Beispiel von Erzbischof Schönborn zu erfahren, worum es der Kirche konkret geht. Es gehe um »das Gemeinwohl«. Zum Beispiel die »Fristenlösung«, sie gehöre abgeschafft. Nun ist genau dieses Gesetz ein wunderbares Beispiel für eine Gesetzgebung, die das »Gemeinwohl« bedient: Es wird ja keine Frau zur Abtreibung gezwungen, aber alle Frauen haben die Möglichkeit, über ihr Leben und das, das sie schenken wollen, zu entscheiden. Das kann ein Erzbischof vielleicht nicht verstehen. Er will daher die Zeit zurückdrehen. Es gibt immer wieder Menschen, die aus unterschiedlichsten Motiven dies wollen. Gut, das war die Ansage der Kirche. Aber was sagt der politische Chef, der Kanzler? Nichts. Nicht einmal eine Andeutung dessen, was ein republikanisches Gemüt erwartet hätte. Etwa:

Liebe Kirche! Politischer Katholizismus hat in diesem Land nichts zu tun mit zum Beispiel der Theologie der Befreiung, wie wir sie von Südamerika kennen. Hier fällt das mit einigem Grund unter Wiederbetätigung. Jeder Bischof, der dafür eintritt, wird sich dafür zu verantworten haben. Sollte die Gesetzeslage diesbezüglich unklar sein, dann werden wir die entsprechenden Gesetze überprüfen und klarer formulieren, denn es kann nicht sein, daß Wiederbetätigung im Sinne des einen Faschismus strafbar, im Sinne des anderen Faschismus, den Österreich leidvoll erleben mußte, aber nicht strafbar ist – auch wenn die von der Kirche so sehr geliebte christliche Partei bis heute das Porträt des austrofaschistischen Führers in ihrem Club hängen hat. Im übrigen scheint es an der Zeit zu sein, daß wir endlich in der Verfassung festschreiben, wovon alle denkenden Menschen in diesem Land ohnehin geglaubt haben, daß es in der Verfassung steht: nämlich die absolute Trennung von Kirche und Staat. Was allerdings bereits in der Verfassung steht (in Art. 15 StGG), daß nämlich »jede gesetzlich anerkannte Kirche ihre inneren Angelegenheiten selbständig ordnet und verwaltet«, bedeutet, daß ab sofort die katholische Kirche zum Beispiel den Kirchenbeitrag selbständig einhebt, ohne staatliche Hilfe. Die katholische Kirche hat weiterhin selbstverständlich das Recht, Privatschulen zu unterhalten – es ist aber in Zeiten diverser Sparpakete leider nicht mehr möglich, sie auch noch zu subventionieren. Die katholische Kirche kann selbstverständlich in ihren Privatschulen in jedem Klassenzimmer das Kreuz aufhängen, ja sie kann sogar ihre Schulen statt mit Tafeln mit Altären, statt mit Lehrern mit Reliquien aus-

statten, in den öffentlichen Schulen aber werden im Sinne einer strikten Trennung von Staat und Kirche alle Kreuze entfernt und der Religionsunterricht durch Unterricht der Geschichte der Weltreligionen ersetzt. Im übrigen warten wir gespannt auf die nächsten Ansagen des »Politischen Katholizismus«.

Zuviel verlangt? Meinetwegen. Aber *nichts* ist für einen *Macher* sicherlich zu wenig. Oder eben gerade recht, wenn man bedenkt, was die *Kronen Zeitung* sonst geschrieben hätte!

Wir haben also einen Kanzler, der den Gegenwind, der auf dem Boulevard weht, mit Rückenwind verwechselt. Da hält er lieber still, in einer windigen Pose: Die roten Boxhandschuhe sollen Durchschlagskraft und Macherqualitäten symbolisieren, tatsächlich aber zeigen sie, daß ein Politiker, der dem Boulevard die Hände reicht, diese blitzschnell verpackt, verschnürt und gefesselt bekommt.

Irgendwann, am Höhepunkt der von der Boulevardpresse geborgten Beliebtheitswerte, wird der Kanzler eine falsche Bewegung machen, nämlich irgendeine. Und dann werden die roten Boxhandschuhe im Republikmuseum auf einen Haken gehängt, und dieser Kanzler wird in seinem Haus in Schwechat sitzen und denken: *Bech* gewesen.

Der Vormacher

Stellen wir uns vor, ein österreichischer Künstler veröffentlichte in einer Tageszeitung einen kritischen Essay über den Kanzler. Daraufhin ließe dieser Kanzler über eine Boulevardillustrierte ausrichten, die Tageszeitung möge nicht vergessen, daß sie von des Kanzlers Gnaden Presseförderung bekomme. Damit wäre erstmals in der Zweiten Republik öffentlich und explizit von einem Regierungschef folgendes festgehalten worden: Von geförderten Zeitungen wird Willfährigkeit erwartet – oder, verallgemeinert gesagt: Subventionen schließen die Möglichkeit von Zensur mit ein. Nun stellen wir uns weiters vor, daß dieser Kanzler Jörg Haider heißt. Alles klar?

Nichts ist klar. Haider ist nicht Kanzler, konnte also gar nicht so hilflos und zugleich machtberauscht drohen, wie oben beschrieben. Allerdings hielten genug es für möglich, daß er es täte, wenn er Kanzler würde, und wären auch bereit, dagegen aufzustehen. »Hielten ... täte ... würde ... wären ...« – alleine in diesem Satz voller Konjunktive zeigt sich, daß Österreich bereits fast ein zeitgenössisches Land geworden ist: Es hat die »Virtualität« zu seinem Lebensgefühl gemacht. Allerdings ist vor einiger Zeit ein Begriff in der zeitgenössischen internationalen Debatte aufgetaucht, den ebenfalls auf die österreichischen Verhältnisse zu übertragen uns allen gut täte: der Begriff »Echtzeit«. Das fehlt hier nämlich völlig: wenigstens ein Minimum an Gefühl für die »Echtzeit«, für das, was hier und jetzt und wirklich passiert, auch wenn wir es nur über die Medien erfahren.

Noch immer, wie im Neolithikum der Postmoderne, fallen in Österreich bloß Vergangenheit, Gegenwart und Zukunft in eins zusammen: Vergangenheit (Hitler), Gegenwart (Transformationskrise der Zweiten Republik) und Zukunft (Haider?) sind hier so ununterscheidbar ineinander verschwommen, daß keiner mehr weiß, ob er bereits überlebt hat, was ihm erst drohen wird, oder ob er nicht vielmehr erst davon profitieren wird, wofür er bereits bestraft worden ist. Was dabei völlig aus dem Blick verschwindet, ist eben die »Echtzeit«: Wir *haben* eine Regierung, wir *haben* einen Kanzler, der *nicht* Haider heißt, und es *geschieht* nicht nur seinesgleichen, sondern auch Ungeheuerliches. Reagieren wir *darauf* mit Schweigen, weil es zwar *real* ist und *jetzt* – aber so unwirklich *scheint*?

Die eingangs beschriebene Geschichte von dem Kanzler, der die Vergabe von Subventionen an die Möglichkeit von Zensur zu binden droht, ist nämlich unlängst wirklich geschehen: Der Kanzler heißt Viktor Klima.

Warum gab es darauf keine Reaktion? Weder Gelächter noch Protest? Warum nur Schweigen, und nicht einmal ein beredtes?

Eben deshalb: Es ist wirklich geschehen, befindet sich also außerhalb der allgemeinen Fixiertheit auf das Virtuelle, während es als Wirkliches so irreal ist, daß es nicht einmal hinterrücks wirklich berührt.

Faktum ist: Bislang hat sich noch keine einzige österreichische Zeitung mit Hofberichterstattung für die Presseförderung bedankt, und es ist auch kein einziger Fall eines österreichischen Künstlers bekannt, der auf die Zuerkennung eines Stipendiums mit weihrauchschwenkender Staatsliteratur reagiert hätte. Das ist die erste Ebene, die reale. Die zweite Ebene, immer noch real, aber bereits ohne Verankerung in der Wirklichkeit, ist folgende: Jörg Haider unterstellt (einmal mehr in seinem Buch *Befreite Zukunft* im 4. Kapitel), daß die Sozialdemokraten sich mit Förderungen und Subventionen immer nur Willfährigkeit erkauften bzw. sich die Möglichkeit zur Zensur schufen – das ist zwar nachweislich falsch, aber just in diesem Moment denkt der sozialdemokratische Kanzler Viktor Klima laut darüber nach, es in Zukunft bei unbotmäßigen Zeitungen und kritischen Künstlern erstmals wirklich so zu halten. Und die dritte Ebene, nun schon völlig irreal, nichtsdestotrotz aber dennoch wirklich, ist folgende: Ein sozialdemokratischer Kanzler, der wirklich regiert und wirklich ankündigt, man könnte Subventionen mit Zensur vinkulieren, erntet öffentliches Schweigen, keine Proteste, keine Ängste. Ein Oppositionspolitiker hingegen, der unterstellt, daß immer schon geschah, was der Kanzler erst erträumt, löst die Befürchtung aus, daß er selbst es sein könnte, der dies, sollte er Kanzler werden, erst will.

Ich weiß jetzt nicht: Ist das verwirrend, ist es bestürzend, oder ist es bloß auf gewohnte Art belanglos schräg österreichisch? Jedenfalls: Das ist die Realität. Das Problem ist nur: Das ist sie *nicht*! Es ist in Wahrheit bloß das, was *da* ist und sich verbreitet, in den Medien, in unseren Köpfen und in unseren Reflexen. Beinahe hätte ich geschrieben: Reflexionen, nein, nein! Reflexen!

In Wirklichkeit ist es – nein, nicht: ganz anders, sondern, viel ärger: *hinterrücks* ganz anders. Während nämlich die einen zunehmend verwirrt oder abgebrüht versuchen, diese drei Ebenen analytisch auseinanderzuhalten, andere wiederum davon gänzlich gelangweilt sind und lieber ein Taxi zum nächsten Event bestellen (gleichermaßen schick ist: »Bitte einen Inländer!« und »Bitte einen Ausländer!«), und wiederum andere – STOP! Keinen »sozialistischen Realismus«! – jedenfalls: während geschieht, was wir glauben, daß geschieht, wird hinterrücks all dies aufgehoben und zugleich unterlaufen von einer Politik, die wir gar nicht bemerken, weil sie *nicht zugleich virtuell ist*, d.h., weil sie nicht zugleich Bestandteil des Medienspektakels ist.

Vor wenigen Tagen wurde im Parlament das Dritte Budgetbegleitgesetz verabschiedet. Woran denken Sie, wenn Sie hören oder lesen »Drittes Budgetbegleitungsgesetz?« Na eben. Nichts. Nichts von Interesse. Nichts, was Sie betrifft. Und wenn Sie dieser seltsamen Minderheit angehören, die sich für Kunst, Kultur, Meinungsfreiheit und -vielfalt und dergleichen »Orchideenthemen« interessiert, dann ist »Drittes Budgetbegleitungsgesetz« erst recht für Sie nebbich. Tja, so hinterfotzig kann die Realität sein, wenn sie abseits der *virtuellen* Realität ganz handfest funktioniert. Das sogenannte »Dritte Budgetbegleitungsgesetz« wird nämlich rund 160 österreichische Zeitschriften ausradieren (in Worten: einhundertsechzig verschiedene Zeitschriften), die nicht realistisch genug sind, dem irrealen Mainstream zu entsprechen. Dieses so unscheinbare sogenannte »Dritte Budgetbegleitungsgesetz«, das tatsächlich im Parlament beschlossen worden ist, regelt nämlich auf neue Weise die Zuerkennung von Geldern aus dem Topf der Publizistikförderung. Und es heißt deshalb nicht »Neues Presseförderungsgesetz« oder »Novelle zum Gesetz für Publizistikförderung«, weil mit diesem Gesetz der Tod von zahllosen alternativen bzw. »unbotmäßigen« österreichischen Zeitschriften selbstverständlich vorausgesetzt und daher als Ersparnis für das Budget bereits einkalkuliert wird.

Mit anderen Worten: Während der real regierende Kanzler über die Möglichkeit von restriktiverer Medienförderung zu delirieren *scheint* und der virtuell regierende Oppositionspolitiker erst Restriktionen anzudrohen *scheint*, wird all dies wirklich beschlossen, wird Gesetz, wird Realität, und wir merken es nicht – weil es *nur* wirklich ist.

Warum wird mir nun vom *profil* ein Text von Jörg Haider zugeschickt, und zwar jenes Kapitel seines neuen Buches, das sich mit »Kultur, Kunst, den Intellektuellen und den Medien« auseinandersetzt, »mit der Bitte um einen Kommentar« – und warum nicht der Text des »Dritten Budgetbegleitungsgesetzes« mit der Bitte um einen Kommentar? Warum ist das »Jenseits« in Österreich immer interessanter als das Diesseits, die Nur-Realität? Was interessiert mich der virtuelle Dr. Jekyll Mr. Haider, wenn es real

Verantwortliche für wirkliche Abgründe in diesem Land gibt? Wozu orakeln über einen Nebel, der aus einem wirklichen gesellschaftlichen Riß aufsteigt, den wir aber vor lauter Nebel gar nicht sehen?

Ich habe Haiders Buch gelesen, und es ist unmöglich, mit einem Kommentar dieser Lektüre ein Kommentar-Honorar zu verdienen. Das Buch ist gedanklich dürftig, im Grunde die alten Ressentiments, die, um etwas »staatsmännischer« zu wirken, ein wenig langweiliger formuliert sind. Es ist voller unproduktiver Widersprüche, wie sie bis zum Gähnen von allen populistischen politischen Konzepten bekannt sind (den einen wird mehr Deregulierung, den anderen wieder mehr Regulierung versprochen etc.). Es ist dort, wo es analytisch zu sein versucht, buchstäblich »jenseits«, wie es der Titel verspricht. Und vor allem: Es ist unglaublich schlecht geschrieben. Es ist so bestürzend schlecht geschrieben, daß ein Verdacht aufkommt: Ist es möglich, daß sich Haiders Lektor Sichrovsky bei Österreichs Intellektuellen wieder anzubiedern versucht, indem er Haider als Analphabeten hinstellt?

Aber ich will nicht spekulieren. Tatsache ist, daß man eine Rezension dieses Buches in einem einzigen Satz schreiben kann: »Als ich nach der Lektüre von Haiders Buch das Fenster öffnete, um zu lüften, sah ich, daß es regnete – auch das noch!«

Aber nein, Sie wollen noch Beispiele? Es geht um Haider, und das ganselt Sie so auf, daß Sie noch mehr wissen wollen? Das »Dritte Budgetdings« – wie hieß das doch gleich? – schon wieder vergessen? Aber mehr Haider? Bitte.

So originell ist Haider: »Mit dem Tod von Jean-Paul Sartre ist auch der letzte europäische Intellektuelle gestorben. Was danach kam, sind Kleinkrämer mit Beamtenmentalität.«

Ministerin Eleonora Hostasch (SPÖ): »Die Künstler sind

wie die Beamten. Jetzt sind sie gegen uns, weil wir sie nicht mehr mit der Gießkanne fördern tan.«

Was ist der Unterschied zwischen »Beamtenmentalität« und »wie die Beamten«? Der Unterschied ist: Hostasch ist Regierungsmitglied, sie trägt, im Unterschied zu Haider, allerdings genauso unoriginell und ahnungslos wie er, politische Verantwortung.

Ach ja, noch einen Unterschied gibt es. Die Formulierung »mit der Gießkanne fördern tan« hat etwas spontan Poetisches, ich könnte mir vorstellen, daß Ernst Jandl ein wunderbares Gedicht daraus machen könnte. Aber der Satz »Mit dem Tod von Sartre ist der letzte europäische Intellektuelle gestorben« ist bloß ein unfreiwillig komisches Rätsel, das zu lösen wenig Gewinn bringt: Sartre ist also, so Haider, gestorben. Mit seinem Tod, so Haider, ist auch der letzte europäische Intellektuelle gestorben. Was aber heißt »mit seinem Tod«? Heißt das »gleichzeitig mit Sartre ist der letzte europäische Intellektuelle gestorben«? Oder hat es mehr kausale Bedeutung? – »Weil Sartre starb, war der letzte europäische Intellektuelle so bestürzt, daß er auch gleich starb« – heißt es das? Wie auch immer. Warum aber verrät Haider nicht den Namen dieses »letzten europäischen Intellektuellen«, der »mit dem Tod von Sartre« starb?

So geht es dem Leser bei fast jedem Satz von Haiders Buch. Und wenn Sätze einmal nicht irrtümlich rätselhaft sind, dann sind sie schlicht dumm, wie zum Beispiel, daß die österreichischen Künstler allesamt »kritiklose Ja-Sager (sind), die sich in den Vorzimmern der Regierungsmitglieder besser auskennen als in ihren eigenen Arbeitszimmern«. Ach, wie es mich langweilt, Sätze zu lesen wie: »Angeblich weltberühmte Bildhauer schlagen sich mit Aufträgen von sozialdemokratischen Bürgermeistern durchs Leben«. Spannend wäre gewesen, wenn Haider die angeblich weltberühmten Bildhauer und die sozialdemokratischen

Bürgermeister aufgelistet hätte. Sind es sieben? Oder gar dreiundzwanzig? Oder ist Österreich bereits so verkommen, daß sage und schreibe über fünfzig sozialdemokratische Bürgermeister alle drei angeblich weltberühmten österreichischen Bildhauer über Wasser halten?

Am besten gefällt mir in Haiders Buch der erste Satz des Kapitels über die Kunst. Er lautet: »Um ehrlich zu sein«. Dieser Satz macht die Lektüre der restlichen Kapitel dieses Buches natürlich obsolet, und was in diesem Kapitel nach diesem Satz folgt, ist ein Desaster.

Und dann gibt es nicht einmal Ankündigungen. Dieser Mann, der wöchentlich via *News* inseriert, daß er Kanzler nicht nur werden will, sondern auch werden wird, macht nicht einmal Ankündigungen, die es einem aufmerksamen Leser ermöglichen würden, dereinst sagen zu können: »Ich habe Haiders Buch gleich gelesen und bereits damals alles gewußt.« Nichts dergleichen, dieses Buch ist als Machwerk nicht einmal mit *Mein Kampf* zu vergleichen ...

Angeblich gibt es Haider ja wirklich, aber wirksam ist er nur deshalb, weil er seine Unwirklichkeit so besonders geschickt kultiviert, seine mediale, also virtuelle Omnipräsenz. Aber so allgegenwärtig er ist, in der Gegenwart greifbar ist er nie – er winkt aus der Vergangenheit, scheint dann wieder aus der Zukunft zu grüßen, und während wir wie bei einem Tennismatch rechts-links rechts-links rechts-links blicken, Vergangenheit-Zukunft Vergangenheit-Zukunft, übersehen wir völlig, was diejenigen tun, die gegenwärtig wirklich Verantwortung tragen, für unsere Nur-Wirklichkeit. Müssen wir, rechts-links rechts-links rechts-links, wirklich so jenseits sein?

Die Geschichte vom Haus der Geschichte

Unlängst feierte die politische Elite der Zweiten Republik weihrauchschwingend und selbstverliebt den achtzigsten Jahrestag der Gründung der Ersten Republik. Ich kann mich nicht erinnern, daß die Gründung der Ersten Republik jemals in den letzten zwanzig Jahren zum Anlaß für solch emphatische staatliche Feierstunden genommen worden wäre. Die SPÖ hatte aus »Anschluß«Betreiber Renner ein Institut gemacht und die ÖVP aus dem Republik-Killer Dollfuß einen patriotischen Ölschinken in ihrem Parlamentsklub. So hatten diese beiden staatstragenden Parteien ihre je eigene Tradition und zugleich deren Aufhebung, konnten von Anfang an »alte Parteien« und zugleich »Neues Österreich« sein. Darüber hinaus gab es in der Zweiten Republik kein Interesse mehr, eine »republikanische Geschichte« zu feiern, die, recht besehen, den Anspruch der Zweiten Republik nur unterlaufen hätte. Bekanntlich hieß die Erste Republik »Deutsch-Österreich«, und ihre Gründungsidee war die möglichst rasche Selbstauslöschung durch einen Anschluß an Deutschland. Die Gründungsidee der Zweiten Republik war das genaue Gegenteil: nämlich einen dauerhaften, stabilen, souveränen Staat zu schaffen. In welchem Zustand befindet sich die Zweite Republik, wenn sie sich jetzt plötzlich in der Republik, die keiner wollte, spiegeln will? Leider in genau diesem: Die Erste Republik endete mit der Selbstausschaltung des Parlaments, die Zweite Republik begann sehr bald mit der Ausschaltung des Parlamentarismus (durch die Sozialpartnerschaft, einem Erbe des Ständestaats). Die erste Republik hieß »deutsch«, und am Ende war es nicht so gemeint, die Zweite Republik heißt »demokratisch«, und es ist nicht ganz so gemeint. Die Erste Republik konnte und wollte sich nicht wehren gegen mächtige antidemokratische Entwicklungen, und die Zweite verhält sich nicht nur wehrlos, sondern sogar komplizenhaft im Hinblick auf antidemokratische Entwicklungen (z.B. die in zivilisierten demokratischen Staaten einzigartige Medienkonzentration). Die Erste Republik fühlte sich als Opfer der Geschichte, maßlos bestraft, die Zweite Republik pragmatisierte sich als Opfer der Geschichte, um im Schutz dieser Pragmatisierung der Bestrafung zu entgehen. Das alles und noch viel mehr arbeitet unausgesetzt weiter, ohne aufgearbeitet zu werden.

Im Lauf eines halben Jahrhunderts hat dieses Land sich daran gewöhnt, die Fesseln seiner Geschichte als Verband für die Wunden der Vergangenheit zu empfinden. Sie aber abzuwerfen war undenkbar, und erst recht undenkbar war, sie zumindest mit halb so großem Interesse und annähernd so avancierten Methoden wissenschaftlich zu untersuchen wie den Penis des Similaun-Manns.

Geschichte – das war in diesem Land schon virtuell, als es den Begriff »virtuell« noch gar nicht gab, ein unwirkliches Spiel mit wirklichen Empfindungen. Unlängst verbrachte ich wegen Dreharbeiten für einen Film über Österreich einen Tag in Bad Ischl, saß schließlich im Café Zauner und blätterte mit der Filmcrew das Gästebuch dieses berühmten Kaffeehauses durch. »Ich erinnere mich immer sehr gerne an Ischl und das Zauner« – Unterschrift: Dr. Kurt Waldheim. Die Eintragung datiert exakt aus der Zeit seiner Wahlkampagne, in der er unausgesetzt mit seinen Erinnerungslücken konfrontiert war. Zynismus? Nein, ich glaube nicht. So war es wirklich. Zumindest in der virtuellen österreichischen Realität. »Seine Majestät, Bruno I., Kaiser von Mallorca«. So unterschrieb Bruno Kreisky unmittelbar nach jener Wahl, bei der er die absolute Mehrheit verlor, worauf er schließlich zurücktrat. Zynismus? Nein. So war es wirklich. Zumindest in der virtuellen österreichischen Realität. Da zeigte Kreisky seine wahre Maske.

Die letzte Eintragung in diesem Gästebuch stammt von Andreas Khol, unterschrieben mit »Andreas Khol, Klubobmann der ÖVP«. Schon diese Unterschrift zeigt präzise das Verhältnis, das jene zur Geschichte haben, die heute in Österreich Geschichte machen: Sie gehen ganz selbstverständlich davon aus, daß auch sie einmal dem kollektiven Vergessen anheimfallen werden: Schon in wenigen Jahren könnte einer, der das Gästebuch durchblättert, fragen: »Andreas Khol? Wer war das?«, also wird an die Unterschrift gleich die politische Funktion angefügt, die er dereinst ehemals besessen haben wird. Dadurch wird man sich vielleicht erinnern – und nur noch vergessen haben, wofür dieser Mann einst stand, was er tat und was er verhindert hat. Das ist die Form der Erinnerung, die man sich in diesem Land erhofft. Namen, Funktionen und Begriffe sollen nicht Auslöser von Erinnerung sein, sondern ihr Ersatz, sichtbare Tünche auf dem Vergessenen. Darum wurde auch der Jahrestag der Gründung der Ersten Republik so gefeiert, als wäre bloß ein Begriff zu feiern: »Republik«. Besinnen und Bedenken ist in Österreich immer das Lose, das abblättert vom Besinnungs- und Bedenkenlosen.

Bekanntlich hat der Vorstand der CA, als die historische Kollaboration dieser Bank mit den Nazi-Verbrechen bekannt wurde, es selbstverständlich abgelehnt, die Archive zu öffnen und mit jenen zusammenzuarbeiten, die dieses historische Kapitel aufarbeiten möchten. Warum fiel dem CA-Vorstand nichts anderes ein als die gebetsmühlenartige Wiederholung des Satzes »Wir lassen uns nicht erpressen«? Die Männer der CA sind »Nachgeborene«, sind kraft ihres Geburtsdatums unschuldig. Warum überfällt sie Panik, wenn sie mit Geschichte konfrontiert werden, warum identifizieren sie sich eher mit den historischen Tätern als mit den zeitgenössischen Fragen an die Geschichte? Aus einem einfachen Grund: Sie haben es nicht anders gelernt. Das, was sie nicht anders gelernt haben, ist, was man in Österreich eben lernt.

Dies alles und alles das, was man jetzt bis zum Erbrechen weiterassoziieren kann, würde es mehr als rechtfertigen, endlich ein »Haus der Geschichte« zu gründen, das die Gewordenheit Österreichs nicht nur wissenschaftlich aufarbeitet, sondern auch auf der Basis internationaler Standards, die man von vergleichbaren internationalen Institutionen kennt, gesellschaftlich vermitteln kann. Bis vor kurzem schien der Gedanke, Österreich könne Fußballweltmeister werden, weniger utopisch als der Gedanke an solch ein österreichisches Haus der Geschichte – bis plötzlich die Diskussion darüber begann, wie man künftig das Palais Epstein nutzen könne, aus dem der Wiener Stadtschulrat demnächst ausziehen wird. Auf einmal schien alles so einfach, so logisch, so naheliegend. Ein Gebäude, das aufgrund seiner eigenen Geschichte und gleichzeitig wegen seiner topographischen Lage ideal und wie geschaffen für solch eine Institution und ihre wünschenswerte Wirksamkeit schien. Eine große Bank erklärte sich bereit, das Gebäude zum Marktwert zu kaufen und für einen symbolischen Betrag dem Bund für solch eine Institution zu vermieten. Anton Pelinka verfaßte ein Konzeptpapier, das dem Projekt nicht nur eine erste inhaltliche Fundierung gab, sondern auch keinen Zweifel daran ließ, daß es ebenso absolut wünschenswert wie auch überraschend einfach machbar wäre. Und Leon Zelman, der Vater dieser Idee, wurde einige Tage lang für diese Idee von politischen Würdenträgern umarmt und geküßt. Welcher Politiker will schon – nach 1986 – explizit sagen: »Geschichte? Haben wir nicht. Kennen wir nicht. Brauchen wir nicht.«

Auch Parlamentspräsident Heinz Fischer bezeichnete ein »Haus der Geschichte« als »Desiderat« – und besorgte sich blitzschnell in der Präsidiale des Parlaments die Zustimmung aller fünf Parlamentsfraktionen dafür, daß es im allzu naheliegenden Palais Epstein garantiert nicht verwirklicht wird. So glaubt er, einerseits jenen zu gefallen, die dafür sind, und gleichzeitig jenen dienstbar zu sein, die dagegen sind. So kann er vorführen, daß ihm die Hände gebunden sind, während er sie in Unschuld wäscht, weil er doch gesagt hat, wie gerne er mitzupacken würde.

Heinz Fischer ist ein besonders langgedienter Parlamentarier – der nie in seiner parlamentarischen Karriere dafür auffällig geworden wäre, daß er sich für eine Stärkung des Parlamentarismus und gegen die Entmachtung des Parlaments durch die Sozialpartnerschaft eingesetzt hätte. Und just als die Sozialpartnerschaft aus verschiedenen Gründen endlich in eine veritable Krise kam, wurde ausgerechnet dieser Mann Parlamentspräsident, ein Mann, der aufgrund seiner eigenen politischen Geschichte die Krise der Sozialpartnerschaft gar nicht als Chance für den Parlamentarismus in Österreich begreifen konnte und wollte. Und ausgerechnet dieser Mann will sich jetzt – nach links blickend und nach rechts blickend, bis als statistisches Mittel ein leeres Nicken übrigbleibt – als Parlamentarier ein Denkmal setzen, indem er dem auch durch seine eigene Komplizenschaft entmachteten Parlament in Steinwurfnähe zum Parlament mehr Büroräume verschafft.

Und die Klubobleute aller fünf Parlamentsfraktionen haben dem zugestimmt. Einhellig. Wie gesagt: Keiner würde es je wagen, sich öffentlich gegen ein »Haus der Geschichte« auszusprechen. Aber sie zeigen mit jedem Wort, daß sie die Notwendigkeit von mehr parlamentarischen Arbeitsräumen besser verstehen als die Notwendigkeit von gesellschaftlichen Aufarbeitungsräumen. Sie zeigen zwar mit jedem Wort unfreiwillig die Notwendigkeit eines »Hauses der Geschichte«, aber sie sind mit keinem Wort dazu zu bringen, dessen Notwendigkeit selbst freiwillig zu verstehen. Also wird die Ausweitung der Parlamentsbürokratie mit verblüffender Schnelligkeit durchgezogen und nebenbei ein »Haus der Geschichte« so lange als »wünschenswert« bezeichnet, bis es nicht mehr machbar sein wird.

Andreas Khol, der dank des Zauner-Gästebuchs dereinst als »Klubobmann der ÖVP« in Ischler Erinnerung bleiben wird, führte vor, wie das geht. In einem Kommentar im *Standard* (vom 24. November 1998) schrieb er, daß ein »Haus der Geschichte« bzw. ein »Haus der Toleranz« natürlich sehr wünschenswert sei – aber: wenn dem so ist, wäre es dann nicht doppelt wünschenswert, gleich zwei Häuser zu haben? Der gelernte Österreicher versteht: Wenn schon die Forderung nach *einem* Haus ein Problem ist, dann ist der Vorschlag, doch gleich *zwei* Häuser zu fordern, der bloße Versuch, dieses Problem endgültig unlösbar zu machen. Erst recht, wenn man liest, wie sich Khol diese beiden Häuser vorstellt: das eine, das »Haus der Toleranz«, soll die Verbrechen an den Juden aufarbeiten, und das andere, das »Haus der Zeitgeschichte«, soll stolz die Erfolge der Zweiten Republik ausstellen. Er will also ein Kritikhaus und ein Jubelhaus. Das Kritikhaus kann natürlich »nicht standortgebunden« sein, da wird sich schon was finden an der Peripherie. Und wer soll das bezahlen? Das Kritikhaus soll, so Khols Vorschlag, »eine zeitgeschichtlich interessierte Sponsorengemeinde« finanzieren – das ist das eleganteste Synonym für »die alten Geldjuden«, das ich je gelesen habe –, während das Jubelhaus »ein Projekt der Bürgergesellschaft« wäre – also der öffentlichen Hand.

Dickes Lob von der *Kronen Zeitung*. Staberl hatte Khol sehr gut verstanden. Es könne, so Staberl, nicht so weitergehen, daß »die Juden mit der einen Hand wild gestikulierend historische Verbrechen anprangern, während sie die andere Hand für allfällige Entschädigungen aufhalten«.

Welche Blindheit ist da am Werk, wenn Fischer und Khol solche Sätze Staberls einfach als Zustimmung und Lob empfinden statt als Skandal? Welche Verblendung hat diese Volksvertreter erfaßt, wenn sie sich darüber still freuen, daß sie wieder einmal massenmedial gepunktet haben, statt sich laut und deutlich gegen diesen expliziten Antisemitismus und Rassismus auszusprechen? Warum nehmen sie diesen massenwirksamen Alltagsfaschismus nicht zum Anlaß, jetzt erst recht für das »Haus der Geschichte«/«Haus der Toleranz« im Palais Epstein einzutreten, das, nach den vorliegenden Konzepten, die Aufgabe und auch die Möglichkeit hätte, künftige Generationen auch gegen eben diesen fortwirkenden österreichischen Alltagsfaschismus zu impfen? Warum finden sie es selbstverständlicher und natürlicher, neben jenem Abschnitt der Ringstraße zu sitzen, die nach dem antisemitischen Wiener Bürgermeister und Hitlers Lehrmeister Lueger benannt ist, als neben einem »Haus der Toleranz«?

Und die kleinen Oppositionsparteien? Warum verstehen nicht wenigstens sie, welche Chance sich auftat und wie erbärmlich die Art ist, mit der sie zunichte gemacht wird? Sie verstehen es nicht. Von den Liberalen war keine deutliche Stellungnahme zu erhalten, bloß der Hinweis, daß die Debatte über ein »Haus der Geschichte« im Palais Epstein nicht nachvollziehbar sei. Und Andreas Wabl von den Grünen sagte zu mir: »Wenn wir jedes Haus, das irgendwann einmal von einem Juden gebaut worden ist, heute irgendwelchen antifaschistischen Institutionen geben, dann können wir selbst bald überall ausziehen!«

Ein »Haus der Geschichte« wäre nicht zuletzt auch ein Ort, an dem man produktiv, analytisch und gesellschaftlich wirksam darüber nachdenken könnte, warum solche Sätze »passieren«, wenn man in Österreich nur über ein »Haus der Geschichte« zu diskutieren beginnt. Aber vielleicht wäre es tatsächlich die einzig schlüssige Vollendung dieser Debatte über ein »Haus der Geschichte«, wenn wir sie wieder vergessen. Wenn wir stolz, selbstbewußt und glücklich der Welt vorführen, was wir am besten können: vergessen.

Es wäre nicht Wien, wenn es wäre, wie es scheint

Ich arbeite in einem Bordell. Das Bordell ist kein Bordell mehr, man kann lediglich sehen, daß es eines gewesen ist. Allerdings nur, wenn man es weiß. Wer dieses Haus betritt und dessen Geschichte nicht kennt, kommt nie auf die Idee, ein ehemaliges Freudenhaus zu betreten. Aber er kommt auch nicht auf keine Idee. Wer hier eintritt, stutzt. Bleibt stehen und schaut. Sucht nach Worten. Noch keiner ging jemals achtlos die Stiegen hinauf, und keiner sagte bloß: »Oh, hübsch!« oder »Interessantes Stiegenhaus«. Noch jeder fügte hinzu: »Da war doch etwas. Was war da?« Dieser Ort hat eine Ausstrahlung, einen Schein, dessen Sein man augenblicklich ergründen will. Woran denkt man? An ein Theater? Man denkt zuallererst an ein Theater. Ein Haus – gebaut für den Schein. Und ist doch augenblicklich wieder verwirrt: Wo ist oder wo war die Bühne? Hier ist das Parkett, da sind die Galerien, dort die Logen – aber wo die Bühne? War dieses Gebäude vielleicht gar die schrullige Idee eines Exzentrikers, der die Theateratmosphäre liebte, aber von Stücken nicht behelligt und von den Eitelkeiten der Schauspieler nicht gelangweilt werden wollte? Der also ein Theater ohne Bühne bauen ließ, wo das Publikum selbst zum Hauptdarsteller werden konnte?

Dann aber kippt die Assoziation, und der Besucher denkt plötzlich erschrocken an ein – Gefängnis. Sollte hier vielleicht gar nicht ein Publikum im Mittelpunkt stehen, sondern Täter unter Aufsicht? Und führten die vielen Türen von den Galerien nicht in Logen, sondern in Zellen?

Ist die Wahrheit nicht bekannt, weil sie verdrängt oder vergessen wurde, dann zeigt sie sich immer noch in der Konstellation der Irrtümer zueinander: Denn was ist ein

Bordell, wenn wir eine architektonische Metapher suchen, anderes als eine Mischung aus Theater und Gefängnis?

Ich beschreibe ein Haus in Wien, das Haus, in dem ich arbeite. Aber der Wienkenner weiß schon jetzt: Die Rede ist nicht von einem einzelnen Haus, sondern von ganz Wien. Denn wie kann man den Eindruck, den diese Stadt macht, anders beschreiben als mit einem Reigen dieser Begriffe: Theater und Gefängnis und verdrängte oder vergessene Geschichte. Schöner Schein, unklares Sein. Ein Publikum, das sich am liebsten selbst beobachtet und sich selbst applaudiert und dabei das Gefühl nicht losbekommt, in Wahrheit weggesperrt zu sein, nicht hinauszukönnen in das freie, das wirkliche Leben. Und was ist die Geschichte? Ihr roter Faden, nein: ihr ewiges rotes Licht ist die Erfahrung der Wiener, immer zu viel für ihre Potenzphantasien bezahlt zu haben, weil sie, als es darauf ankam, doch impotent waren – und dennoch schmierige Täter.

Dies ist die Geschichte dieses Hauses – en miniature die Geschichte Wiens in diesem Jahrhundert: Das Haus, in dem ich schreibe, befindet sich in der Girardigasse. Alexander Girardi war ein berühmter Volksschauspieler, zu seiner Zeit der Inbegriff populärer Theaterkunst. Sein Lebenstraum, an die bedeutendste deutschsprachige Bühne berufen zu werden, nämlich an das Wiener Burgtheater, erfüllte sich im Jahr 1918. Allerdings starb Girardi am 20. April desselben Jahres. Sein größter Triumph und sein Ende fielen in eins zusammen. Sein Todesdatum setzt sich aus zwei für die Geschichte Österreichs markanten Geburtstagen zusammen: An einem 20. April kam Adolf Hitler zur Welt, und im Jahr 1918 konstituierte sich nach dem Ende des Weltkriegs und dem Zerfall der alten Habsburger Monarchie die Erste österreichische Republik.

Geht man die leicht abschüssige Girardigasse hinunter zur Wienzeile, kommt man, links abbiegend, zum Theater an der Wien. Geht man die Girardigasse hinauf zur Lehargasse, stößt man auf das Semper-Depot, ein Gebäude, das zur Lagerung von Theaterkulissen errichtet worden ist. Heute befinden sich im Semper-Depot Ateliers der Kunstakademie, aber an der Architektur läßt sich immer noch ablesen, wie genial die Wiener bei der Beantwortung der Frage waren: Wie können wir Vor-Wände lagern? Wie können wir die Kulissen, den schönen Schein, den wir im Moment nicht brauchen, einmotten, bis wir ihn wieder benötigen?

In der Girardigasse war dort, wo heute mein Haus steht, auf der Höhe von Nr. 10, in Girardis Todesjahr eine Baulücke. Begrenzt von einem windschiefen, lückenhaften Bretterzaun.

Die Girardigasse stößt, wie gesagt, auf die Wienzeile. Dort, am sogenannten Naschmarkt, befand sich zu Beginn der Ersten Republik ein Strich. Es gibt zahllose Geschichten von der Genialität der damaligen Naschmarkt-Prostituierten: Den alleinstehenden Bürgern, die nach Vorstellungsende aus dem Theater an der Wien, oder den Arbeitern, die aus dem Ateliertheater strömten, gaben sie mühelos den Eindruck, daß die Realität eine unmittelbare Fortsetzung des jeweiligen Theaterstücks sei, und für die Bauern, die in der Nacht ihr Gemüse zum Naschmarkt lieferten, spielten sie »verruchte Großstadt«. Es gab das »warme« Hotel und das »kalte«. Das »warme« war das Hotel *Drei Kronen* in der Schleifmühlgasse, das »kalte« war das verwilderte kleine Stück Brachland hinter dem Bretterzaun in der Girardigasse.

Das war die Erste Republik. Abreaktionen, die nicht lange hielten. Beklommene Suche nach Erlösung. Kalt warm. Erwachen mit Selbsthaß. Suche nach dem Purgatorium. Das Leben wollte markig werden oder – wenn schon bigott, dann richtig. Und so fiel der Vorhang für die Erste Republik – Applaus! –, und es fiel auch der Vorhang für den Naschmarktstrich. Der klerikalfaschistische katholische Ständestaat verbot die Straßenprostitution. Das war Ende 1934. Die beiden damals reichsten Zuhälter, ein gewisser Franz Kuchwalek (eigenartigerweise ebenfalls an einem 20. April geboren) und Adolph Girardi (bizarrerweise ein entfernter Verwandter des Schauspielers, nach dem die Gasse schließlich benannt werden sollte), taten sich zusammen und ließen in der erwähnten Baulücke ein Bordell bauen, das heutige Haus Girardigasse Nr. 10.

Dieses Gebäude war zu seiner Zeit revolutionär: Das erste Haus in Wien, das nicht zu einem Puff adaptiert, sondern bewußt als Bordell geplant und errichtet wurde. Eine Herausforderung für den leider unbekannten Architekten, der eine geniale, viel zuwenig gewürdigte Lösung fand. Eine Fassade, die nichts ist als dies: bloße Fassade. Nie würde man hinter dieser Schlichtheit und Ornamentlosigkeit, die Loos zitiert und die Zitate auch gleich wieder versteckt, irgend etwas vermuten, das anrüchiger wäre als der Schein kleinbürgerlicher Häuslichkeit. Eine Fassade, so unscheinbar, daß sie in dieser Lage – Theater links und Kulissendepot rechts – etwas bedeuten mußte. Wer dieses Haus betrat, trat aus dem Freien voller faschistischer Verbote in ein Inneres, das erst buchstäblich das Freie war, auch wenn es überdacht war: Hinter der kulissenhaften Fassade ein Hausflur wie ein kurzes verschwiegenes Gäßchen, das zu einem Platz führt, von dem ein so großartiger wie verzwickter Boulevard wegführt, der sich, weil es ein Innen-Boulevard ist, gerollt und gewunden in die Höhe schraubt, vier Etagen hoch, in jedem Stockwerk macht er einen eleganten Schwung, will sich ausbreiten, strecken, und muß doch wieder sich Stufen hochwinden und eine weitere Galerie bilden, mit einem schmiedeeisernen Geländer wie bei einer städtischen Straße an einem Fluß – kurz: die von Prostituierten gereinigte Wienzeile, die am Wienfluß entlangführt, wurde hinter der Kulisse eines biederen Wohnhauses gleichsam als »Wendel-Straße« neu aufgebaut und wieder mit Prostituierten bevölkert. Da standen sie auf diesen Galerien, und die Männer, die hereinkamen, mußten zu ihnen aufblicken. Draußen regierte ein faschistischer Führer, Engelbert Dollfuß, ein Zwerg, auf den Wien hinabblickte.

Aus dieser Zeit gibt es die schönsten Fotografien dieses Innen-Boulevards: sie zeigen schmerbäuchige Kutscher mit den Allüren von Grafen, die sich angesichts der sogenannten »Hübschlerinnen« genießerisch den Bart zwirbeln – und doch war damals schon beides nicht mehr wirklich wahr: sowohl die Kutscher als auch die Grafen. Anders als das öffentliche Verschwinden der Huren, war das Verschwinden der Kutscher und Grafen definitiv, und nur dies sollte von dieser Zeit in dieser Stadt bleiben: das Verschwinden. Draußen fieberten die Wiener dem politischen »Anschluß« entgegen und drinnen, im Inneren dieses Hauses, der physischen Verschmelzung – und alles wurde eins. Ein und dasselbe, vorexerziert im Haus Girardigasse 10: theatralisches Verschwinden, verschwiegenes Verstecken. Ob Kutscher oder Graf oder Arbeiter oder welcher Stand auch immer, alles verschwand 1938, nur scheinbar zwar, so wie zuvor die Huren, aber es verschwand, es verschwand im Volkskörper – ach, wie haben die Huren kurz zuvor noch gelacht über diesen Begriff »Volkskörper« – stehen soll er (hahaha!), wie ein Mann (hahaha!), der Volkskörper, der Befriedigung suchte, und der Kutscher, der längst kein Kutscher mehr war, sondern ein Nazi, sagte zur Frau Marie: »Ich bin der Volkskörper und du bist der Volksempfänger!« (hahaha). Alles verschwand, und es blieben nur die Allüren, und den Allüren stehen die Uniformen immer noch am besten.

Als ich in dieses Haus einzog, lebte in der Wohnung nebenan ein gewisser Franz Gärtner, Oberwachtmeister in Ruhe, der hier eingezogen war im Jahr 1938. »Ach«, erzählte er, »wie haben wir sie mit nassen Fetzen hinausgejagt, die ungarischen Jüdinnen, die rumänischen Zigeunerinnen, die arbeitslosen böhmischen Dienstmädeln, das ganze syphilitische Gesindel . . . !« Das Volk brauchte Raum, und in diesem Haus kann man lernen, welchen Raum diese Herren eroberten: Enge Zellen, die perfekt geplant waren zur so wohlfeilen wie kurzfristigen Befriedigung animalischer Gelüste, und nun sollten sie die Herren sehr teuer zu stehen kommen. Aber keine ist mehr zurückgekommen, die damals gelacht hätte: »Teuer zu stehen, ach so teuer ist es gar nicht, Schatzi, daß er steht« (Ha-)

So viele Achs, und nie wieder konnte es so werden, wie es war, es wurde bloß, was es schon zuvor nur zum Schein war: ein ganz normales Wohnhaus. Aber – noch ein vorläufig letztes: Ach! – wie könnte es wirklich werden, was es zu sein vorgibt? Keiner, der hier eintritt, kann denken oder gar empfinden: Alles normal!

Wien ist nicht die Stadt, als die sie errichtet scheint. Das Imperiale gehört keinem Imperium mehr, das Barocke keinem Phäakentum, das Biedermeier keinen sanften Idyllen, die Moderne keinen Modernisierern. So wie an den Galerien dieses Freudenhauses keine Lust wandelt.

Wien ist eine Stadt der Kulissen. Man kann nicht hinter alle blicken, aber vor fast allen kann oder muß man denken: Hier ist etwas gewesen. Was ist dahinter? Nichts. Vorne ist der Schein ohne Sein, dahinter das Sein ohne Schein.

Das ist das vorläufig letzte Kapitel dieses Hauses: Wer will schon wohnen in einem ehemaligen Bordell? Und wer die Geschichte nicht kennt, muß sie doch sehen: Kleine, enge Wohneinheiten, zu klein für eine Familie, zu eng sogar für ein elaboriertes modernes Singleleben. Diese Logen waren weder für Familien noch für einzelne gedacht, sondern für schnelle Akte zu zweit. Wie soll das als Wohnhaus funktionieren? Schneller wohnen? Heute haben vier Schriftsteller und zwei Maler hier ihre günstigen Ateliers, ein paar Studenten haben hier ihre »Startwohnung«, ein paar Alte wissen noch Geschichten, aber haben gelernt zu schweigen. Herr Gärtner ist lange tot. Ein Nachbar, ein frühpensionierter Alkoholiker, pendelt täglich ins vis-à-vis gelegene Café Sweet Dreams. Und, ach ja, da ist noch eine Nachbarin, eine engagierte Hauptschullehrerin und Alt-Achtundsechzigerin, die ich manchmal auf unserer Galerie treffe, dann blicken wir hinunter auf das Parterre ohne Bühne, und sie will mir eine Zeitung ohne Leser verkaufen, die heißt: »Die Linke«. Hier, in diesem Haus, muß es sein, daß ich sie kaufe. Eine schnelle, billige, zweifelhafte Befriedigung.

Dann schreibe ich weiter an meinem Roman, in dieser Zelle, in der man sich weggesperrt fühlt vom Leben, wie es scheint, und sich auf diesen wenigen Quadratmetern doch in der Welt fühlen kann, wie sie ist, zumindest in dieser seltsamen Stadt, in Wien.

Die kleinen Vorsitzenden

Der EU-Ratsvorsitz elektrisiert die österreichische Regierung auf eine Weise, die bei immer mehr Österreichern den Wunsch weckt, sich zu isolieren. Ist das der Sinn der Übung? Was treibt die österreichische Regierung dazu, sich ununterbrochen in einer Weise darzustellen, die das Gegenteil dessen bewirkt, was in ihrem Interesse liegen sollte? Eine Diagnose läßt sich, in Übereinstimmung mit Beobachtungen der österreichischen Verhältnisse in der internationalen Presse, ziehen: Die Fetischisierung von Repräsentation und Bürokratie, wie sie die österreichische Regierungspolitik heute betreibt und ausgerechnet als »Reifeprüfung« bezeichnet, ist eine Ersatzhandlung, die davon ablenken soll, daß dieser Regierung jeder Gestaltungswille abhanden gekommen ist. Nicht nur der Wille, auch der Glaube, daß so etwas wie politische Gestaltung überhaupt noch möglich ist. Die peinlichen Versuche der österreichischen Regierungspolitiker, internationale Anerkennung durch individuell demonstrierte radikale Willfährigkeit zu erlangen, isolieren dieses Land viel mehr, als es ein selbstbewußtes Insistieren auf eigenen Interessen je könnte. Denn: Keine Weltauswahl braucht Mitspieler, die vor lauter Willfährigkeit bereit wären, auch Eigentore zu schießen.

Natürlich könnte man jetzt, was da vorgeht, ausführlich analysieren und interpretieren – aber praktikabler scheint es, angesichts der in diesem Land grassierenden und auch von der Regierung beförderten Intellektuellenfeindlichkeit ein Wort zu finden, das die Sache auf den Punkt bringt, und dennoch etwa den Kanzler und die *Kronen Zeitung* intellektuell nicht überfordert.

In der unlängst ausgestrahlten Fernsehdokumentation »Der Tiger läuft frei herum. Kapitalismus pur?« wurde auch der Welser Pfarrer Mayr interviewt, der sich in Initiativen zur Unterstützung von verelendeten Arbeitslosen engagiert. Er sagte sinngemäß: Das Problem bei den Entscheidungsträgern und Verantwortlichen heute in Wirtschaft und Politik sei nicht, daß sie vielleicht zynisch seien oder oft schlecht informiert oder daß sie wegen ihrer individuellen Interessenlage trotz bestem Willen keine Vertreter jener Menschen mehr sein können, über deren Schicksal sie unausgesetzt entscheiden – das Problem sei in Wahrheit, daß sie einfach dumm seien. Und er wiederholte, mit dem Ausdruck von Erschütterung und zugleich der Autorität eines Mannes, der nicht bloß einmal, nicht dreimal, sondern der ununterbrochen bei seiner Arbeit diese Erfahrung machen mußte: »Sie sind einfach dumm!«

Unmittelbar danach wurden in dem Film Wortspenden von österreichischen Managern und Industriekapitänen eingespielt, die diesen Befund überaus schlüssig bestätigten. Jedes denkende Gemüt, das diesen Film sah, mußte fassungslos feststellen: »Ja, sie sind dumm!« Es gibt kein anderes Wort, keinen Begriff, der angemessener gewesen wäre, und nichts, was diesen Eindruck relativieren hätte können. Nicht einmal die enorme Selbstgefälligkeit dieser Menschen reichte auch nur bis in Sichtweite an ihre Dummheit heran. Sie reden von Wirtschaftsgesetzen, als wären sie Naturgesetze – und wissen von diesen angeblichen Naturgesetzen nicht einmal, welche Erfahrungen Menschen bisher mit ihnen gemacht haben, zum Beispiel daß sie, vor nicht allzu langer Zeit, fassungslos vor Trümmerhaufen gestanden sind und geschockt »Nie wieder« gestammelt haben. Sie wissen auch nicht, beziehungsweise schon gar nicht, daß in der Geschichte der Menschheit alle angeblichen und erst recht alle wirklichen Naturgesetze nur mit der Absicht erkannt und anerkannt wurden, um sie zu unterlaufen, außer Kraft zu setzen, zu domestizieren, damit der Mensch glücklicher werde. Blitze zum Beispiel wurden deshalb erforscht, um Blitzableiter zu entwickeln, und nicht, um sich mit wissendem Fatalismus ihnen besser aussetzen zu können. Hört man aber österreichischen Wirtschaftsmanagern zu, bekommt man den Eindruck, daß ihrer Meinung nach nicht nur Blitze naturgesetzlich passieren, sondern auch daß wir hinzunehmen haben, wenn wir von ihnen getroffen werden. Man kann also sagen, daß die Dummheit jener, die für Österreichs Wirtschaft verantwortlich sind, sich nicht darin erschöpft, Prozesse, die Menschenwerk sind, als »Naturgesetze« zu sehen – sie sind, unter Voraussetzung ihrer äußerst dürftigen Hypothese, nicht einmal daran interessiert, sich dann wenigstens mit »Naturgeschichte« zu beschäftigen.

Das sind die Menschen, die über Abertausende Schicksale entscheiden? Ja und nein. Sie wissen es, und sie tun es. Es sind Menschen, die völlig aus der Fassung zu bringen wären, würde ihnen einer gegen den Strich durch das Haar fahren oder ihnen die Anzugweste, die ihren Körper zugleich panzert und zusammenhält, öffnen oder gar wegnehmen; Menschen, die in grotesker Überanpassung an ihre unreflektierten angeblichen Naturgesetze noch als Angeklagte vor Gericht mit demonstrativ übergroßen Krawatten und schneidend harten Hemdkragen sitzen und mit einem bloß durch Selbstmitleid gemilderten, in Manager-Seminaren erlernten Ausdruck »kalter Dynamik« die Schuld auf »die Politik« abwälzen . . . Und, ja, sie sind tatsächlich nicht nur verantwortungslos, sie sind wirklich nicht verantwortlich. Aus einem einfachen Grund: weil sie ihre unendliche, hochbezahlte Dummheit nur innerhalb des Kontexts ausführen können, den die Politik ihnen vorgibt.

Leider ist in diesem »Kapitalismus pur«-Film kein Politiker interviewt worden. Warum nicht? Pater Mayr hat doch ausdrücklich Wirtschaftshaie *und* Politiker gleichermaßen mit seinem Verdikt bedacht.

Vielleicht sind Klima und Schüssel et alii deshalb für diesen Film nicht interviewt worden, weil – im Gegensatz zu den »Managern« – ihre Wortmeldungen ohnehin täglich von den Medien in alle Haushalte transportiert werden. Tatsächlich genügt es, das Altpapier, das man noch nicht entsorgt hat, hervorzuholen, neben den Schreibtisch zu legen und in den Tageszeitungen der vergangenen Wochen zu schmökern.

Sehr rasch, und noch radikalisiert durch die Distanz, die eine tagealte Tageszeitung gibt, kann man feststellen, daß sie noch dümmer sind, als es ein durch die Macht des österreichischen Boulevards verwüstetes allgemeines Bewußtsein nahegelegt hätte. Sind Manager dumm, weil sie ihre angeblichen Sachzwänge als Naturgesetze sehen, dann sind die Regierungspolitiker noch dümmer, weil sie ihre eigenen Sachzwänge gar nicht, die Sachzwänge der Wirtschaft aber ebenfalls als ihre Naturgesetze sehen. Ihre Dummheit ist also eine doppelte, weil ihre Entfremdung eine doppelte ist. Die Sachzwänge, die die österreichische Regierung zur Richtschnur ihres Handelns, besser gesagt zur Begründung ihrer Immobilität macht, sind objektiv nicht die Verpflichtungen von mehrheitlich gewählten politischen Interessenvertretern, sondern die einer Minderheit der österreichischen Gesellschaft und einer radikalen Minderheit der Weltbevölkerung. Diese Minderheit ist, seit es bürgerliche Gesellschaften gibt, immer gezwungen gewesen, ihren leicht identifizierbaren Interessen im Rahmen der legistischen Möglichkeiten nachzugehen, die die bürgerlichen Staaten ihnen gegeben haben. Österreich aber wird heute dem Satz, es sei ein Laboratorium, in dem der Weltuntergang geprobt werde, insofern wieder einmal gerecht, als diesem zwar machtvollen, aber zugleich bloß minderheitlichen Interesse die Möglichkeit gegeben wird, sich ohne Abstimmung mit den Interessen anderer Bevölkerungsgruppen, ohne Rücksicht auf zumindest die Idee von »Gemeinwohl«, zu entfalten.

Jahrelang sind Linksintellektuelle in diesem Land verhöhnt worden, und was da lächerlich gemacht wurde, war die These, die Prämisse der marxistischen Kapitalismuskritik, es gebe im Kapitalismus ein simples Primat der Ökonomie über die Politik. Aber seit dem Zusammenbruch der Sowjetunion und ihrer Glacisstaaten wird der Kapitalismus genau nach diesem Gott-sei-bei-uns-Muster verstanden: Ja, hier herrscht tatsächlich ein Primat der Ökonomie über die Politik, und dagegen können wir nichts tun. Und das ist, in dieser historischen Situation, einfach dumm. Noch nie, nicht einmal in Hegels schrulliger Dialektik, haben die Sieger eines Konflikts die Prämissen des Unterlegenen nahtlos und unreflektiert zu den eigenen gemacht. Es hat nur einer einmal aussprechen müssen, und plötzlich sehen wir: Wir brauchen keinen komplexeren, keinen differenzierteren Begriff, es genügt: Dumm!

Wenn es eine marxistische These gibt, die von der Geschichte – zumindest in Österreich – nachdrücklich widerlegt wurde, dann die: »Noch nie haben die Inhaber der Macht ihre Macht freiwillig aufgegeben« (Karl Marx). Denn jede österreichische Regierung der Zweiten Republik hat nichts anderes getan, als ihre durch Wahlen legitimierte Funktion augenblicklich an eine nie durch Wahlen legitimierte Nebenregierung abzutreten. Das war die Glanzzeit der Sozialpartnerschaft. Als Österreich der EU beitrat und feststellen mußte, daß das europäische Großkapital wenig Geduld mit diesem seltsamen, vom Austrofaschismus herübergeretteten System hat, wurde die österreichische Regierung blitzschnell erneut willfährig und teilte mit: »Wir sind es gewohnt, die Macht, die uns demokratisch gegeben wurde, nicht auszuüben, wir haben daher kein Problem – wenn schon die österreichische Sozialpartnerschaft nicht mehr funktionieren kann – sie jetzt an die europäischen Konzerne abzutreten!!!«

Daß »die Wirtschaft« Interesse an der Anerkennung eines Primats der Ökonomie über die Politik hat, kann man noch verstehen, daß aber »die Politik« diesem Primat nachgibt, das ihre ureigensten Aufgaben, nämlich die an sie delegierten Interessen, untergräbt, ist völlig unverständlich – zeigt das doch, daß die österreichischen Politiker nicht einmal zu einem Pawlowschen Reflex fähig sind, sondern sich im Konflikt zwischen Signal und Hund selbst gleich zum Futternapf degradieren.

Alles, was wir heute unter dem Titel »österreichische Regierungspolitik« beobachten können, ist nichts anderes als systematische Flucht vor Verantwortung: Privatisierung, Ausgliederung, Auslagerung, Entstaatlichung, Distanzierung, Transformation in Stiftungen, die zwar immer noch von öffentlichen Geldern gespeist werden, aber – weil jetzt »privat« – nicht mehr öffentlich kontrolliert werden können, jedoch ist weit und breit keine Politik feststellbar, die selbstbewußt, weil demokratisch legitimiert, zumindest Signale setzt in der großen zeitgenössischen Herausforderung: *Wir*, die demokratisch legitimierte Politik, produzieren die Rahmenbedingungen, nach denen sich die Konzerne verdammt noch einmal zu richten haben. Wir haben uns allzulange als Volk der Kellner und Sängerknaben dargestellt, aber heute haben *wir*, die Politiker, ein ganz simples, sowohl unserer prinzipiellen Situation als auch der welthistorischen Herausforderung einzig angemessenes Interesse, nämlich: Dem Herrschaftsanspruch der Ökonomie über die Politik das Primat der Politik über die Ökonomie entgegenzustellen! Noch dazu unter radikal verbesserten Voraussetzungen: Nämlich, dank EU, durch ein radikal intensiviertes Zusammenspiel mit den Regierungen anderer europäischer Länder. Und jetzt wollen wir sehen, zu welchen vernünftigen und für alle tragbaren Kompromissen wir in dieser Auseinandersetzung finden!

Der Satz, daß »die Globalisierung« aktive und gestaltende Politik in einem einzelnen Land nicht mehr zulasse, sondern jedes Land zu einem bloßen Reagieren auf die internationale Entwicklung zwinge, ist eine Ausrede, die nur noch in Österreich ein heftiges zustimmendes Kopfnicken auszulösen vermag. Denn in Wahrheit vergrößert gerade die internationale Vernetzung die Möglichkeiten der Politik genausosehr wie die des Kapitals. Die Globalisierung entfesselt nicht nur die Möglichkeiten der Konzerne, sie ist auch und vor allem eine politische Befreiung: Sie verhindert das, was früher »Finnlandisierung« oder »Albanisierung« genannt wurde, und verleiht demokratischen Interessen Universalität und damit mehr Schubkraft. Es gibt zahllose Beispiele dafür, wie nationale Regierungen sich zu politischen »global players« entwickelt haben oder entwickeln und wie es ihnen gelingt, nationale Interessen als zivilisatorische Ansprüche der demokratischen Welt insgesamt zu verkaufen. Aber ach, ist das nicht vielleicht eine Nummer zu groß für Österreich? »Österreich ist ein kleines Land!« Nein. Das ist der Lieblingssatz bloß jener Politiker, die sich aus rätselhaften Gründen in Verantwortungen wählen lassen, die sie dann scheuen. Nein, nicht Österreich ist klein, klein ist hier nur der Mut. Wie stark, wie herrisch, wie machtvoll diese Regierung dann ist, wenn sie weiß, daß sie internationalen Konzernen oder nationalen Meinungsumfragen nicht dazwischenfunkt, da regiert sie plötzlich, da zeigt sie ihre Macht, spielt sie aus: Da ist sie glatt imstande, die Presseförderung für eine Zeitung zu streichen, in der regierungskritische Essays erscheinen. Wie dumm das ist und wie peinlich, daß sie nicht merkt, daß sich die Wähler aktives Eingreifen nicht als Allüre, sondern als Programm von ihren politischen Repräsentanten wünschen – nicht zum Zweck eines Knebelungsversuchs der Meinungsfreiheit, sondern im Hinblick auf die vitalen Lebensinteressen der Republik! Aber sie sind bereits allzusehr aufeinander fixiert, der Hund und der Napf, also die Industrie (vertreten durch die Meinungsindustrie) und die Regierung (vertreten durch die das Volk nicht mehr vertretenden Vertreter), so daß eine über das Niveau einer Klatschspalte hinausgehende Diskussion einfach nicht mehr möglich ist.

Lese ich in einer Zeitung (ich beziehe mich jetzt nur auf den Altpapierhaufen der letzten Wochen neben meinem Schreibtisch), daß der Manager einer Handelskette ohne kritische Gegenfrage in einem Interview absondern darf: »Für Intellektualität ist in unserem Konzern kein Platz«, lese ich in einer anderen Zeitung, daß der Kanzler ein Grubenunglück zum Anlaß für intellektuellen-feindliche Äußerungen nimmt. Und Tausende österreichische Jugendliche finden keine Lehrstelle, weil sie nicht Lesen und Schreiben können? Vielleicht hat der Kanzler sie deshalb aufgefordert, sich *persönlich* an ihn zu wenden – weil sie ihm ja nicht schreiben können. Lese ich in der nächsten Zeitung, daß ein von seinem Konzern vorübergehend freigestellter EU-Politiker die österreichische Neutralität ungefragt, beziehungsweise nur von dieser Zeitung befragt, als »heute obsolet geworden« bezeichnet, lese ich schon in einer anderen Ausgabe dieser Zeitung dieselbe Formulierung, nur diesmal aus dem Mund eines österreichischen Regierungsmitglieds, verschärft allerdings durch den jede Intelligenz beleidigenden Zusatz: »Das bedeutet aber nicht, daß wir die Neutralität deswegen abschaffen müssen.« Schlage ich ein Dutzend Zeitungen auf und drapiere sie auf dem Fußboden, dann stolpere ich zumindest ein halbes dutzendmal über die peinigende Selbstbeweihräucherungsphrase »Wir sind Musterschüler ...«

»Wir«, wenn wir darunter die Republik verstehen, sind, nebenbei gesagt, über fünfzig! Versteht Viktor Klima *das* unter »lebenslangem Lernen« (natürlich unter Vermeidung einer intellektuellen Entwicklung)? In Wirklichkeit denkt man bei diesem Satz unwillkürlich an die schauerliche Figur des »Bubi«, des fünfzigjährigen Manns im Matrosenanzug, in Gerhard Fritschs Buch »Katzenmusik«. Aber wer hat diese luzideste aller literarischen Beschreibungen der Zweiten Republik schon gelesen? (Laut Verkaufszahlen eintausenddreihundertsechsundsiebzig Menschen!) Wie auch immer, man muß ja nicht ein bestimmtes Buch gelesen haben, um zu fragen, warum die nach Kreiskys Oberlehrerattitüden zur willfährigen Musterschülerneurose verkommene österreichische Regierungspolitik nicht endlich ganz normal *erwachsen* werden kann? Warum kann der über fünfzigjährige Kanzler nicht den Matrosenanzug ausziehen und ganz einfach mit einer festen, vom Stimmbruch schon längst nicht mehr tangierten Stimme sagen: Ich habe als von einer Mehrheit gewählter *Politiker* das Primat der *Politik* zu behaupten, und ich vertrete die Interessen, die zu vertreten ich gewählt worden bin, so, daß all jene, die in dem großen Kontext, in dem ich arbeiten muß, *andere* Interessen haben, unsere Interessen *anerkennen* können. Ich will nicht Musterschüler sein, der alle von außen an mich herangetragenen Anforderungen unhinterfragt erfüllt und als »Hausaufgaben« bezeichnet, sondern ein Erwachsener, der um die Interessen, die er durchzusetzen hat, auf eine anständige Weise kämpft. Und ich will *dafür* wiedergewählt werden, und nicht deshalb, weil ich die Interessen jener, die mich nicht gewählt haben, brav erfülle, als wären es Naturgesetze, und zwischendurch meine Frau in den Boliden eines österreichischen Nachwuchsrennfahrers setze, was naturgemäß die Seitenblickgesellschaft amüsiert ...

Und – nein, Schluß. Es ist mir zu dumm.

Neutralität in Österreich und der Schweiz: Kein Vergleich

Die Schweiz war für Österreich nach 1945 das große Vorbild, dem es nicht nacheiferte, um so zu werden wie sie. Reich, sozial friedlich, in der Welt anerkannt und beliebt. Reich ist Österreich geworden, zumindest gemäß den Statistiken, die nur Zahlen enthalten und nicht Schicksale und Mentalitäten. In Österreich hält man für einen »Multi« einen Kellner, der in einem Tourismuslokal gleich fünf Tische bedienen muß, wo Menschen aus drei verschiedenen Nationen zu konsumieren wünschen. Sozialer Friede konnte errungen werden, allerdings nicht auf der Basis einer gewachsenen Kultur der Diskussion und Demokratie, sondern durch deren sozialpartnerschaftliche Vermeidung. Und internationale Beliebtheit versucht Österreich durch das Verhalten eines »Musterschülers« (das ist tatsächlich die Lieblingsvokabel der österreichischen Selbstdarstellungsrhetorik) zu erringen, und nicht wie ein »Erwachsener«, um im Bild zu bleiben, der seinen Interessen auf eine Weise nachgeht, daß auch jene, die andere Interessen haben, sie achten können.

Die Schweiz war für Österreich ein Trittbrett, auf das man, bevor der Zug abging, aufsprang – um dennoch in die andere Richtung zu fahren. Als Österreich den Staatsvertrag und damit seine Unabhängigkeit wollte, versprach man den Großmächten, neutral zu werden »nach dem Vorbild der Schweiz«. Diese Formulierung wurde dann zwar aus dem Moskauer Memorandum und aus dem »Verfassungsgesetz zur immerwährenden Neutralität« wieder gestrichen, aber tatsächlich ist heute die Neutralität ein Fetisch des allgemeinen Bewußtseins wie in der Schweiz – nur die politische Praxis ist, anders als in der Schweiz, das genaue Gegenteil.

Die Schweiz ist für Österreich eine beispielhafte Ausnahme von verschiedenen Regeln – kompliziert ist nur, daß Österreich sich nie entscheiden konnte, ob es ein Beispiel für die Regeln oder die zweite Ausnahme werden will. Nein, »will« ist das falsche Wort, Österreich will durchaus, und zwar beides: Den Regeln entsprechen und Ausnahme sein. Entschuldigend: »Wir sind nur ein kleines Land«, und stolz: »Auch ein kleines Land kann ›groß‹ sein!« Oder: »Menschen verschiedener Sprachen können gleichberechtigt und anerkannt mitsammen im selben Staat leben« (Verfassung), und »Das kann normalerweise nicht funktionieren!« (österreichische Realität).

Die Schweiz ist so sehr das Gegenteil von Österreich, daß sogar jene Österreicher, die das Gegenteil von Österreich sein wollen, das Gegenteil der Schweiz bleiben. Historisch: Als Vorarlberg in einer Volksabstimmung mit großer Mehrheit beschloß, sich der Schweiz anzuschließen, sagte die Schweiz »Nein, danke«. So blieb Vorarlberg bei Österreich und ist heute bloß das Gegenteil von Wien. Und heute: Wenn sich »Österreichkritiker« diametral dem österreichischen Selbstgefühl entgegenstellen wollen und rufen: »Wir sind *keine* Mozartkugeln!«, dann sind sie eben deshalb doch welche, weil noch kein Schweizer gefunden wurde, der aufstampfte und sagte: »Wir sind *keine* Kuckucksuhren.« Vielleicht hat das damit zu tun, daß die Kuckucksuhr zur Swatch weiterentwickelt wurde, die Mozartkugel aber nur zum Mozarttaler, was grundsätzlich das gleiche ist wie vorher, nur daß es so ausschaut, als wäre jemand drauf herumgetrampelt.

Die Schweiz ist das Land, mit dem Österreich Berührungspunkte hat, die beide am liebsten nicht mehr berührt hätten. Beide haben von der Nazizeit profitiert, die Schweiz gemäß der Logik des Kapitals, Österreich entgegen jeder menschlichen Logik. Die Schweiz hatte sich spezialisiert auf eingeschmolzenes Gold, die Österreicher auf das Verbrennen von Menschen.

Sind Schweizer gelassen, sagt man: *Die Schweizer sind gelassen.* Sind Österreicher gelassen, fragt man zu Recht: *Wer läßt sie?*

Das sind die Hauptgemeinsamkeiten. Es gibt kaum größere Unterschiede.

Sterbensworte

Ruth Beckermanns Film *Jenseits des Krieges*

Warum haben wir von den Verbrechen der Nationalsozialisten so klare Vorstellungen, obwohl doch über diese Zeit immer so beharrlich geschwiegen wurde? Und warum gibt es, trotz unseres grundsätzlich so unverbrüchlichen Wissens, immer wieder so großes Erstaunen und solch erbitterte Diskussionen, wenn neue Details bekannt werden? Und warum ändern diese seit zumindest zwei Jahrzehnten regelmäßig so heftig ausbrechenden Diskussionen nichts an unserem Eindruck, vor einer Mauer des Schweigens zu stehen?

Wer schwieg, tat es beredt, und diejenigen, die redeten, wollten schweigen können. Aus! wollten sie sich drücken. War es das?

Ruth Beckermann läßt in ihrem Film *Jenseits des Krieges* Menschen reden. Es sind überwiegend ehemalige Wehrmacht-Soldaten, die, bei der sogenannten Wehrmachtsausstellung mit ihrer Vergangenheit konfrontiert, von damals erzählen. Es ist zunächst und vordergründig ein Film über das Reden, buchstäblich ein Anschauungs-Unterricht über das Erzählen. Aber die noch viel zuwenig gewürdigte Pointe des Films ist: Er führt zu einer Neubewertung des Schweigens.

Ich muß gestehen, daß mich die Erzählungen der alten Krieger, wenn man sie zum Reden bringen konnte, nie interessiert haben. Ich will das, was ich weiß, nicht in den Rang eines simplen Vorurteils erheben und nur noch selbstgerecht nicken, wenn die Verstockten sich entlarven und die Reumütigen sich verstricken. Genausowenig interessieren mich übrigens die Betroffenheitsdemonstrationen der Guten. Sollte sich der Common sense ändern, hätten es die Verstockten immer schon gewußt, und ihre Treue würde ihnen wieder zur Ehre gereichen, die Geläuterten würden läuten wie ehedem, und ihre tätige Reue zerfiele wieder in die Teile, aus denen sie besteht: zuerst Täter sein und dann bereuen. Und die Guten, funktionieren sie nicht allzudeutlich so wie diese moralisch integren Ehepartner, die man sofort verlassen sollte, denn – wie Karl Kraus schrieb: »So wie sie heute mir treu ist, ist sie schon morgen einem anderen treu.«

Muß ich das mit immer neuen Details unterfüttert bekommen? Muß ich mir das immer wieder aufs neue vorführen lassen? Muß ich das alles wissen? Kurz: Muß man alles wissen, um zu wissen? Muß man zum Beispiel wissen, daß die numerische Exzentrizität der Erdumlaufbahn um die Sonne 0,017 beträgt, um zu wissen, daß sich die Erde um die Sonne dreht? Und wenn diese Zahl strittig wäre, wenn konkurrierende Berechnungen ergäben, daß sie »nur« 0,012 betrage – was wissenschaftlich einen enormen Unterschied machte –, würde dies für uns etwas am Grundsätzlichen ändern? Nein.

Natürlich kann man naturwissenschaftliche und ideologische Weltbilder nicht gleichsetzen. Aber so weit trägt der Vergleich: Es geht zuallererst und letztlich um das Grundsätzliche und nicht um Details. Details sind nur so lange sozial dynamisch und mächtig, solange sie allgemeinen Lebensgrundsätzen profund widersprechen und sie umstoßen können. Ist das nicht mehr der Fall, sind sie nur noch für Experten interessant, ein unendliches Feld der Fachwissenschaften. Kein Detail, keine individuelle Erfahrung kann heute das kopernikanische Weltbild mehr umstürzen. Deshalb weiß ein heutiger Experte tausendmal mehr als Galileo Galilei, während wir alle nur einen kleinen Bruchteil dessen wissen, was Galileos interessierte Zeitgenossen oder Nachfolger zu verstehen begannen. So und nicht anders funktioniert »Akkumulation von Wissen«: Hat es sich durchgesetzt, sind wir auf höherem Niveau dümmer.

Gut, wir alle können uns mit unserer wissenden Ignoranz oder unserem ignoranten Wissen täuschen, doch wenn alle sich täuschen, eine überwältigende oder überwältigte Mehrheit, dann ist das Detail für das gesellschaftliche Verhalten erst recht belanglos, wird vom Grundsätzlichen gleichsam weggeschnupft. Mir ist zum Beispiel nicht bekannt, daß – als Juden in die Lager abtransportiert wurden – Massen aufgestanden wären, die gesagt haben: »Wir haben einen jüdischen Nachbarn/Hausarzt/Anwalt/Bridgepartner/Oberkellner/Kinobilleteur/Wenauchimmer, und aufgrund unserer Erfahrungen mit diesen Einzelfällen können wir nicht verstehen, daß *alle* Juden jetzt ihrer Bürgerrechte beraubt, erniedrigt, deportiert und umgebracht werden.« Aber das Gegenteil ist sehr wohl in zahllosen Fällen dokumentiert: Positive persönliche Erfahrungen mit einzelnen Juden konnten die grundsätzliche Verachtung *der* Juden und den grundsätzlichen Haß auf sie nicht aufheben. Steht das Grundsätzliche fest, ist der Einzelfall *bloß* ein Einzelfall, und man kann damit alles beweisen, bis auf eins: daß der Grundsatz falsch ist.

Das Zweite ist, wie wir mit unseren unumstößlichen Grundsätzen leben, leben können. Man hat bekanntlich mit dem ptolemäischen Weltbild leben können, obwohl dessen Verteidigung zahllose Leben gekostet hat. Aber heute ist klar, daß es sich besser lebt mit dem kopernikanischen, individuelle Sinneserfahrungen hin oder her. Wir steigen in Flugzeuge ein, mit oder ohne Flugangst.

Das ist der Unterschied zu unseren Grundsätzen in der Einschätzung der ganzen Nazi-Geschichte: Dieser Common sense ist zwar ebenfalls ein zivilisatorischer Fortschritt, aber – es lebt sich schlechter mit ihm. Er ist eine Bürde, mehr: eine Wunde, die schon aufbricht, wenn wir sie nur betulich betrachten. Die ehemaligen Täter, die tatkräftigen Mitläufer und erst recht deren Nachkommen wissen, was sie heute zu sagen haben. Ist mehr zu erreichen? Ja. Mehr Details, viel, viel mehr, aber das ist dennoch immer viel weniger als das Ganze.

Man kann sie reden lassen. Und zeigen, daß wir nichts wissen, wenn wir nur das Grundsätzliche wissen, aber daß es doch genügt, wenn wir nur dies wissen. Ist ein Grundsatz durchgesetzt, kann jeder nur noch *Ich* sagen, seine höchstpersönliche Erlösung im Lichte des allgemeinen Verdikts suchen. *Ich* habe alles gewußt, aber *ich* war zum Glück nicht verwickelt. *Ich* habe nichts gewußt, weil *ich* war in nichts verwickelt. *Ich* wiederum hasse die Vätergeneration (Grundsatz!), aber *ich* konnte *meinem* Vater verzeihen (Detail!) Dies alles zeigt: Die grundsätzliche Einschätzung dieser Geschichte ist heute Common sense. Man mag bezweifeln, daß er definitiv ist, aber jeder Versuch, Details und noch mehr Details zu verallgemeinern, führt immer nur zu folgender Manifestation: Es hat sich ein »gesellschaftliches Wissen« herausgebildet, welche Betroffenheitsadjektive eingeflochten, welche Distanzierungsfloskeln ausgestellt werden müssen, und mit jedem weiteren Wort zeigt sich nur unwillentlich und peinlich, wie Reste des Krieges immer noch in der Kriegsgeneration stecken, wie diese Geschichte in ihnen zuckt, kaum kontrollierbar hin- und herzuckt zwischen dem, was sie damals glaubten, erlebten oder glauben erlebt zu haben, und dem, was sie heute, im Frieden gealtert, glauben sagen zu müssen oder sagen, was wir ihnen glauben sollen. In Wirklichkeit wollen sie nur eines: Daß diese Geschichte endlich ruht!

Wissend genickt. So sind sie. Keine Chance, wir sind wachsam. Aber – wenn diese Geschichte jetzt wirklich ruhte? Soll sie ruhen! Aus zwei Gründen: Nehmen wir an, daß die Geschichte sich wiederholen kann, und gehen wir davon aus, daß wir uns heute nicht mehr auf das nette Aperçu von Karl Marx wohlig verlassen wollen, daß die Tragödien sich als Farcen wiederholen – ist es dann nicht besser, die Geschichte ruht? Ist aber die Geschichte, von der wir reden, in ihrem verbrecherischen Charakter einzigartig und unvergleichlich – wozu dann selbst in Frage stellen, was wir glücklich durchgesetzt haben, und sagen: Das Einzigartige ist gar nicht einzigartig, es kann sich jederzeit wiederholen?

Daß der Krieg, daß ihre Taten in den Tätern immer noch weiterleben, zeigt ja in erster Linie nicht, daß diese Menschen unverbesserlich sind, sondern daß unser grundsätzliches Verdikt stimmt, nämlich daß dieser Krieg und diese Taten etwas so Ungeheuerliches waren, daß es jedes menschliche Fassungs- und Verarbeitungsvermögen übersteigt. Wie würden wir dastehen mit unserem Urteil über diese Geschichte, wenn die, die sie er- oder gelebt und sie letztlich gemacht haben, mehrheitlich glaubhaft vorführen könnten, daß sie sie »bewältigt« haben und nun so darüber reden können wie ein Scheidungskind nach einer Psychoanalyse?

Ruth Beckermanns Film *Jenseits des Krieges* zeigt dies auf wunderbare Weise: Daß das Reden dem Schweigen nichts mehr hinzufügt. Wir haben es immer schon gewußt, wir haben nur noch nicht gewußt, daß wir dies auch wußten: daß Reden und Schweigen eins sind. In diesem Film können wir es plötzlich *sehen.* Wir *sehen* diese Menschen, ihre Physiognomien, ihre Kleidung, ihre Gesten, und: wir wissen alles. Wir sind nicht überrascht. Oder wir sind, zuhörend, überrascht von Details, die nicht ins Bild passen und uns dennoch nicht am Grundsätzlichen zweifeln lassen. Zum Beispiel, daß der zunächst so besonders grauenhaft wirkende Mann mit dem stutzerhaften Lodenmantel und dem lächerlichen Jägerhütchen, geradezu die Karikatur eines Blut- und Loden-Österreichers, plötzlich relativ vernünftig spricht, während der aufrechte Antifaschist, der von seinem monarchistischen Elternhaus nachhaltig gegen Hitler geimpft worden war, einen so radikal unsympathischen Eindruck macht. Aber dann sehen wir diesen kleinen

Mann, der so gern loswerden möchte, daß er fast ein Widerstandskämpfer war und daß er deshalb beinahe Schwierigkeiten bekommen hatte. Er habe nämlich einmal angemerkt, daß es ein Wahnsinn sei, die Kriegsgefangenen sofort zu erschießen – weil man sie in der Heimat als Arbeiter gut gebrauchen hätte können. Wie menschlich, Menschen lieber versklaven zu wollen, statt sie zu ermorden. Wenn er doch geschwiegen hätte. Oder jener Mann, der sich freiwillig zum Ausheben der Massengräber gemeldet hat, weil »dafür bekamen wir einen Schöpfer mehr Suppe«. Er hat buchstäblich auf Leichenbergen überlebt. Ich will das nicht wissen – denn ich habe es gewußt. Es ist einer dieser Punkte, wo Vorurteil und begründetes Urteil kaum mehr auseinandergehalten werden können, weil sie sich berühren.

Wir, wir selbst haben im Hinblick auf diese Geschichte etwas zu »verarbeiten«. Wir – ach, keine Verallgemeinerung mehr, ich will jetzt auch *ich* sagen: *Ich* bin kein Opfer, kein Täter, und auch nicht gut. Ich bin ein Nachfahre. Ich leide an dieser Geschichte, an meinem Haß und auch daran, daß dieser Haß so eigentümlich kalt ist. Und er ist kalt, weil er durch den Kopf geht, aber er tat sich dennoch wie jeder Affekt schwer, sich mit einer Erkenntnis zu verbünden – zu der dieser Film jeden, der *sehen* kann, plötzlich zwingt. Ich – nein: jetzt kann ich wieder *wir* sagen, weil ich mich in diesem Punkt mit meiner Generation einig weiß – *wir* also haben – nicht Opfer seiend, nicht Täter seiend – an dieser Geschichte leidend ebenfalls etwas *getan*, was nun wir »verarbeiten« müssen: Wir haben immer schon Schweigen und Reden gleichgesetzt. Wir haben, wenn geschwiegen wurde, das Schweigen kritisiert, weil es so beredt war, so verräterisch. Und kaum wurde geredet, haben wir das Reden kritisiert, weil es so sprachlos war, voll von Verschweigen, so verräterisch. Wir haben es immer gleich behandelt, es war für uns eins. Und dies müssen wir, sehend und hörend, heute zur Kenntnis nehmen: daß es eins geworden ist. Das heißt aber auch, daß wir, darüber räsonierend, was wir gesehen und gehört haben, das immer wieder skandalisierte Schweigen neu bewerten müssen. Vielleicht war es kein Verschweigen, sondern ein Beschweigen. Wir sehen es und können es begreifen, wenn wir diesen Film sehen, diese Menschen mit ihrer entmenschten Geschichte, die nun auftreten wie Kunstfiguren, synthetische Stichwortbringer für unser Urteil.

Sie reden, und wir begreifen das Schweigen. Die Opfer haben geschwiegen, und die Täter haben geschwiegen. Wieso haben wir dennoch alles gewußt? Noch nie in der Geschichte hat sich durch so hartnäckiges Schweigen so viel unverbrüchliches Wissen akkumuliert. Wieso? Weil niemand, der geschwiegen hat, so getan hat, so tun konnte, als ob nichts gewesen wäre. Ich kann mich nicht erinnern, jemals nicht gewußt zu haben.

Wenn ich, als Kind, als Jugendlicher, meine Großeltern väterlicherseits besuchte, wußte ich schon längst alles, nämlich nichts, nämlich das Grundsätzliche, genügend, aber nie genug, und ich fragte sie, wie es war, wie sie überlebt haben, Juden in Wien, und mein Großvater sah mich nur kurz an, und er schob seinen Stuhl ruckartig zurück, stellte ihn schräg, so daß er nicht mehr mich, der ich ihm gegenüber saß, vor Augen hatte, sondern die Großmutter, und er schlug seine Beine übereinander, tupfte sich mit der Serviette den Mund ab – kurz erwartete ich immer wieder, daß er sich die Augen trocknen würde –, und er sagte zu meiner Großmutter: »Übrigens, Dolly, weißt du, wen ich gestern im Café Monopol getroffen habe –?«

Er starb, und ich habe nie erfahren, was er erleben mußte. Aber ich hatte begriffen, warum ich es nicht wissen konnte. Denn ich habe es gewußt. Grundsätzlich.

Und meine Großmutter mütterlicherseits heiratete in zweiter Ehe einen Nazi. Ihr erster Mann, mein Großvater, war als »politisch Unzuverlässiger« ins Feuer geschickt worden. Und plötzlich dieser Nazi. Wie hatte sie das tun können? Er kam aus derselben Gegend wie sie, sie kannten dieselben Menschen, interessierten sich für denselben Tratsch, waren süchtig nach Tanzen, sie ließen kein »Feuerwehrfest« aus. Es war ein betulich-befreites Tanzen auf einem erloschenen Vulkan. War/ist er erloschen? Heute würde man sagen, sie lebten eine *regionale Identität.* Das war irgendwie klar, auch wenn ich an diesen Mann keine Fragen hatte. Nie hätte ich Opa zu ihm sagen können. Es genügte, ihn zu sehen. Zu sehen, wie er aß, zum Beispiel. Er liebte es, fett zu essen. Wie schmierig sein Ausdruck von Glück war, wenn das Fett ihm bei den Mundwinkeln herunterrann. Das ist überhaupt einer meiner bleibenden Kindheitserinnerungen: dieses fettverschmierte Glück in den Gesichtern der Menschen, wenn sie aßen. Mehr hatte dieser Großmuttermann schon seinerzeit nicht vom Leben wollen, als ihm eine Wohnung versprochen wurde und das Ende der Arbeitslosigkeit. Dieses fette Grinsen war nicht nur Wollust wegen des endlich erreichten Überflusses, es war auch eine beharrliche Demonstration. Es sagte: Auch wir sind Opfer gewesen! Wir haben lange gehungert! Aber jetzt ist Schluß mit diesen finsteren Zeiten!

Wie ich seine Weinerlichkeit verachtet habe, wie groß meine Schadenfreude war, als der Krebs ihn auffraß. Wie hat er sich schuldig gemacht, was hat er getan? Ich wußte es nicht und weiß es nicht, es hat mich nicht interessiert, weil ich ohnehin alles gewußt habe. Er lag im Sterben und wollte mir bei meinem letzten Besuch im Krankenhaus noch etwas sagen. Ich wollte es nicht hören. Ich wollte, daß er stirbt, und er sollte schweigen. Ich habe mich abgewendet. Jetzt sah ich »ihn« in Ruth Beckermanns Film wieder, nämlich Männer wie ihn. Und was erzählt er? Ich habe es gewußt. So habe ich es mir vorgestellt.

Es war vorbei. Ich bin hinausgegangen aus dem Krankensaal, und bald darauf kam meine Mutter heraus auf den Gang und sagte, Onkel Franz ist gestorben. Menschen in Weiß liefen auf und ab. Weiß. Plötzlich war alles wie weiß getüncht. Das war's.

Wir sind im Schweigen aufgewachsen und haben doch immer alles gewußt. Was wir nicht gewußt haben, lernen wir erst jetzt: Daß es an der Zeit ist, zu begreifen, was wir als Kinder akzeptiert haben. Daß kein Wort mehr etwas ändert.

Für ein Kind, das eine Mauer sieht, ist es unerheblich, ob es erzählt bekommt, daß diese Mauer gestern oder daß sie vor Jahren errichtet worden ist. Oder ob es nichts erzählt bekommt und diese Mauer nur sieht.

Ich saß im Kino und sah. Sah Menschen reden. Und doch war, was ich sah, eine Mauer des Schweigens. Diese Mauer hat heute zahllose Graffitis.

Österreich-Liebe in Zeiten der Cholera

Zunächst die Frohbotschaft: Auch nach der Nationalratswahl vom 3. Oktober 1999 werden die politischen Voraussetzungen in Österreich ganz gewiß so sein wie vorher: Mehr als zwei Drittel der österreichischen Bevölkerung werden *keine* Zustimmung zu Jörg Haider, seinen politischen Absichten und seinem Weltbild gegeben haben. Und nun die ebenso bekannte Hiobsbotschaft: Dennoch wird sich diese überwältigende Mehrheit als überwältigte darstellen und von nichts anderem reden, nichts anderes schreiben, nichts anderes in endlosen Diskussionen zu ergründen versuchen als den Sieg Jörg Haiders und die Unaufhaltsamkeit seines Aufstiegs zum Kanzler.

Dabei waren noch nie in der Geschichte westlicher Demokratien nach 1945 die Chancen, Regierungsverantwortung übernehmen zu können, für einen Oppositionspolitiker so schlecht wie für Jörg Haider: Er hat die Gesellschaft in einer Weise gespalten und mehr als die Mehrheit der Bevölkerung – weit über die »absolute« hinaus – so abgestoßen, daß er nie mehr die Zustimmung einer ausreichenden Wählermehrheit finden wird können. Und er hat, dennoch auf bloße Stimmenmaximierung setzend, die im demokratischen System vorgesehene Möglichkeit einer Mehrheitsfindung im Parlament in einer Weise verhöhnt, daß ihm diese Möglichkeit, die alle anderen Parteien, selbst wesentlich kleinere Oppositionsparteien, haben, völlig verschlossen ist. Zumindest solange diese anderen Parteien bei Sinnen bleiben. Und das ist das Problem. Hier haben wir den Grund für die eigentümliche Volte, daß heute in Österreich die Chance eines völlig Chancenlosen, Regierungsverantwortung übernehmen zu können, viel größer ist als in jedem anderen demokratischen Land. Warum? In den Kommentaren und Debattenbeiträgen der letzten Zeit sind einige psychologische und soziologische Gründe angeführt und diskutiert worden, die alle auf dasselbe Modell hinauslaufen, das man »die Doppelmühle-Theorie« nennen kann: Die politischen Eliten Österreichs, namentlich die beiden Regierungsparteien, die immer noch zwei Drittel der österreichischen Bevölkerung repräsentieren, sehen keine Möglichkeit mehr, einen Zug zu machen, ohne augenblicklich von Haider *gefressen* zu werden. Setzen sie auf Kontinuität, auf die Fortsetzung der gemeinsamen Arbeit, prolongieren sie die Situation, von der gegenwärtig vor allem die FPÖ profitiert. Setzen sie aber auf Konfrontation, auf Unterscheidung und Distanzierung voneinander, führen sie selbst – gleichsam als Vor-Aufführung – den Bruch der Kontinuität vor, den Haider herbeizuführen verspricht. Das ist die Doppelmühle, in der sich die Regierung sieht: Weiterziehen, bis man verloren hat, oder zurückziehen und sich gleich verloren geben.

Diese Form des Reagierens der Regierung übersieht allerdings zweierlei: Zwar nützt jene Stimmung, die, wenn sie aufkommt, sich besonders laut und aggressiv äußert, Jörg Haider – und der wächst, solange diese Stimmung wächst. Aber diese Stimmung will genährt werden. Und in dem Maß, wie sie unterfüttert wird, behält Haider zwar die (wachsende) Zustimmung bestimmter Bevölkerungssegmente, aber er verliert definitiv die Möglichkeit, diese Zustimmung von einer Mehrheit bestätigt zu bekommen. Reduziert er aber das Ressentiment, um doch eine Koalition bilden zu können, dann verliert Haider einen Gutteil der Zustimmung, die er nun hat, und damit die Größe, die ihn theoretisch als Koalitionspartner interessant macht. In der Doppelmühle steckt objektiv also die FPÖ, und es ist völlig unverständlich, warum die Regierungsparteien so beharrlich glauben, sie selbst hätten keine Zugmöglichkeit mehr, und als grotesken Ausweg immer wieder versuchen, mit Haiders Steinen zu ziehen. Klar, daß »dann kein Stein auf dem anderen bleibt« beziehungsweise dort, wo er hingehört.

Auf diese Weise erscheinen auch die Leistungen der Regierung als »geschummelt«, und alles, was die Regierung als Erfolg verkaufen will, erscheint augenblicklich als Verkauf und Verrat. Wer heute distanziert und sachlich die Verfaßtheit Österreichs kritisiert, wird aufgefordert, nicht die Stimmung zum Maßstab zu nehmen, sondern die exzellenten Wirtschaftsdaten. Nun sind die positiven Wirtschaftsdaten zweifellos verifizierbar – aber abgesehen davon, daß sie naturgemäß nichts über die Verteilung des stolz festgestellten Reichtums aussagen, werden diese Zahlen vor allem deshalb zu einer blassen Abstraktion, weil selbst diejenigen, die sich ihrer rühmen, zugleich auch noch aus der Unterfütterung der miesen öffentlichen Stimmung eine miese Zustimmung zu erhalten hoffen. So kann aus einer Bilanz, die stolz sein will, kein Selbstbewußtsein entstehen, keine Gelassenheit, kein abwägender Realitätssinn, sondern nur diese verheerenden, die Gesellschaft spaltenden Ängste. Und nicht zuletzt muß die Wahrheit der Wirtschaftsdaten in der gesellschaftlichen Realität als Lüge erscheinen, wenn dermaßen augenfällig ist, daß wir uns trotz dieses Reichtums nicht einmal die Grundlage vernünftigen Zusammenlebens leisten können: nämlich die grundsätzliche Verteidigung der Menschenrechte.

Man kann, wie die Debatten der letzten Zeit gezeigt haben, über die gegenwärtige Verfaßtheit Österreichs alles mögliche sagen – nur eines mit Sicherheit nicht: daß die Situation langweilig ist. Es ist eher so, daß man sie gerne langweiliger – im Sinne von entspannter – hätte. Es ist der paradigmatische Fehler der Regierung, jene, die buchstäblich eine *Hetz* haben wollen, im Hetzen zu bestätigen, aber auf der anderen Seite jenen, die das verabscheuen und kritisieren und politisch dumm finden, ausrichten zu lassen, daß ihnen offenbar nur langweilig sei und sie deshalb eine

Wende »um der Wende willen« herbeisehnen – eine Veränderung bloß deshalb, weil sie sich »von der großen Koalition nicht mehr genügend *unterhalten*« fühlen. In Wahrheit ist es doch so, daß die Regierung allzusehr bemüht ist zu unterhalten, daß es eine Hetz ist, und wahrscheinlich deshalb jede Kritik an ihr als Verriß eines Boulevardstücks mißversteht. Tatsächlich aber geht es nicht um die Qualität der politischen Unterhaltung, sondern der politischen Gestaltung. Es geht um die Vermittlung des Bedürfnisses all jener, die immer noch die Mehrheit in diesem Land bilden und die eine österreichische Regierung sehen wollen, die den Ausgang aus einer zwar selbstverschuldeten und politisch wirksamen, tatsächlich aber bloß fiktiven Doppelmühle findet. Dazu allerdings wäre etwas gefragt, das zwar selbstverständlicher Bestandteil demokratischer Verhältnisse ist, in Österreich aber nie wirklich eingeübt wurde: nämlich das Denken in Alternativen. In Österreich geht ja bekanntlich die Verabsolutierung der Situation, wie sie ist, immer Hand in Hand mit der Befürchtung, daß es, im Fall einer Änderung, nur schlimmer kommen werde, und bestätigt wird diese geschichtsgesättigte Mentalität durch die demonstrativen Ressentiments jener, die sich jederzeit bereit zeigen, ihren eigenen Untergang schadenfroh zu bejubeln, wenn nur genügend andere oder gar alle mitgerissen werden. Es wäre ein Quantensprung in der demokratiepolitischen Entwicklung der Zweiten Republik, wenn es gelänge, diese Mentalität, die zugleich auch eine Voraussetzung für die Doppelmühle ist, zu brechen, und das gar nicht schwierige, aber für die Demokratie so unverzichtbare »Wechsel denken« in der politischen Diskussion durchzusetzen: Welche politischen Alternativen können unter Berücksichtigung der gegenwärtigen Voraussetzungen gedacht werden? Welche dieser Möglichkeiten hätten eindeutige Vorzüge im Vergleich zu anderen, aber vor allem auch im Hinblick auf die gegebene Situation? Ist diese

Alternative machbar, beziehungsweise sind die Bedingungen dafür realistisch herstellbar? Und die letzte Frage: Wenn ja, warum versuchen wir es dann nicht?

Diese letzte Frage ist in Österreich am leichtesten zu beantworten: Hierzulande gilt alles als »unrealistisch«, was es nicht bereits gibt, und als »real«, was sich ohne eigenes Zutun schon durchgesetzt hat.

Dennoch will ich versuchen, diese Gedanken kurz durchzuspielen, auch auf die Gefahr hin, vom österreichischen Realitätssinn als weltfremd, vom österreichischen Möglichkeitssinn aber als allzu diesseitig bezeichnet zu werden.

Was sind die Voraussetzungen?

Erstens: Es gibt ein doppeltes Bedürfnis nach einer »Wende« – das der Modernisierungsverlierer und auch jener Modernisierungsgewinner, die die Moderne nicht verstehen, also das Bedürfnis der Klientel Haiders; zugleich aber auch das Wendebedürfnis der Haider-Gegner, die nicht akzeptieren können, daß diejenigen, die mit dem Versprechen, Haider zu verhindern, regieren, gleichzeitig aber unausgesetzt jene Stimmung bedienen, die ausschließlich Haider nützt. Dieses doppelte Wendebedürfnis ergibt in Summe eine Mehrheit, allerdings bloß dafür: Wende – aber keine Mehrheit für eine bestimmte Lösung.

Zweitens: Die Haider-Anhänger sind eine geschlossene Gruppe, sie fürchten nichts, nicht einmal ihren eigenen Untergang, und wollen programmatisch nur eines: Haider. Sie sind aber die Minderheit. Die Haider-Gegner hingegen sind eine vielfach ausdifferenzierte Gruppe, die gleichsam alles fürchtet – zusammengefaßt: daß es, wenn es bleibt, wie es ist, Haider nützt, aber auch, daß eine Schwächung oder gar ein Zerbrechen der gegenwärtigen Regierungskoalition erst recht Haider zugute kommt. Sie fürchten vor allem Schwarz-Blau, weil sie dauernd lesen, daß außer Rot-Schwarz nur Schwarz-Blau eine Mehrheit hätte. Das ist der erste dynamische Widerspruch: daß diese Mehrheit für einen schwarz-blauen »Bürgerblock« zu existieren scheint, obwohl zugleich die Haider-Gegner eine Mehrheit bilden.

Drittens: Es gibt mit den Grünen und dem Liberalen Forum zwei weitere Oppositionsparteien, die über jeden Verdacht erhaben sind, Haider in die Hände zu arbeiten, und deren Sympathiewerte und theoretisches Wählerpotential viel größer sind als deren tatsächlicher Wählerzuspruch. Sie fürchten so gut wie nichts, auch nicht die *Kronen Zeitung* – höchstens dies: aus dem Parlament zu fliegen, nur weil allzuviele ihrer Sympathisanten doch noch einmal eine der beiden größeren Parteien, vor allem die Sozialdemokraten, wählen, die sich als stärkeres Bollwerk gegen Haider anbieten – obwohl gerade diese die Stimmung mitproduzieren, die Haider so sehr zugute kommt. Das heißt, Grüne und Liberale sind eine kleine Minderheit, allerdings nur dem Stimmverhalten und nicht ihrem Stimmenpotential nach – aber als kleine, theoretisch jedoch wesentlich größere Minderheit sind sie ein Teil der gesellschaftlichen Mehrheit, die noch dazu jene Teile der Gesellschaft demokratisch einbinden, die von den anderen Parteien ignoriert oder gar verfolgt werden würden.

Welche Lösung, die die gegenwärtige Doppelmühle auflösen und den objektiven Bedürfnissen der absoluten Mehrheit der Bevölkerung entsprechen könnte, ist also unter diesen Voraussetzungen möglich und machbar? Ich riskiere eine Antwort, auch auf die Gefahr hin, dafür ausgelacht zu werden, weil die weihrauchschwenkenden Sätze, die Österreichs Exkanzler und Kanzler über den »Möglichkeitssinn nach Musil« ununterbrochen absondern, den klaren Blick auf politische Möglichkeiten völlig vernebelt haben.

Eine maßgeschneiderte Lösung im Hinblick auf die beschriebene Situation wäre jene Ampelkoalition, an die in Österreich naturgemäß niemand denkt, am wenigsten die,

die über eine Ampel öffentlich räsonieren: nämlich eine Koalition von ÖVP, Grünen und Liberalen.

So. Haben Sie genug gelacht oder den Kopf geschüttelt? Dann lassen Sie mich bitte jetzt ganz kurz diese Variante, diese praktikable Alternative zur allgemein vertrauten Doppelmühle erklären.

Mit einer solchen Koalition wäre zunächst einmal dem offenbar allgemeinen Bedürfnis stattgegeben, das nach dreißig Jahren durchgehender sozialdemokratischer Kanzlerschaft einen demokratiepolitisch tatsächlich höchst notwendigen Wechsel will – ohne dabei aber einem politischen Abenteurertum Tür und Tor zu öffnen. Die Gefahr, daß es nach einem Auseinanderbrechen der großen Koalition zu einem schwarz-blauen »Bürgerblock« kommen könnte, wäre gebannt, weil der eine potentielle Partner den Kanzler stellt, der andere aber in der Opposition gegen ihn so hetzen muß, wie wir wissen, daß er es tut. Da sich in dieser Konstellation auch die SPÖ in der Opposition befände, hätte die Regierung sich mit einer machtvolleren und letztlich seriöseren Opposition auseinanderzusetzen, als es derzeit im Wettstreit von großer Koalition und FPÖ der Fall ist. Vor allem aber wäre Jörg Haider, der bislang sein Charisma nicht zuletzt daraus bezog, daß er als Führer der größten und stetig wachsenden Oppositionspartei nach der Macht zu greifen schien, plötzlich der kleinere und mit seinen Ressentiments mickrig erscheinende Oppositionspolitiker hinter der SPÖ. Und von diesem Schlag müßte er sich erst einmal erholen. Weiters hätte diese »schwarze Ampel« ein viel größeres Reservoir von ministrablen »Köpfen«, als sie die bisherige angststarre und zugleich haiderwillfährige Koalitionsregierung hatte oder ein »Bürgerblock« hätte. Jede mögliche Ministerliste einer ÖVP-Grün-Liberalen-Koalition (z.B.: Kanzler: Wolfgang Schüssel, Vize und Justiz: Heide Schmidt, Innen: Andreas Khol, Außen: Johannes Voggenhuber, Wirtschaft: Johannes Ditz, Finanz:

Alexander Van der Bellen, Umwelt: Madeleine Petrovic, Kunst: Peter Marboe, Unterricht und Bildung: Elisabeth Gehrer, Landwirtschaft: Wilhelm Molterer, Wissenschaft und Technologie: Konrad Paul Liessmann, Frauen: Elfriede Hammerl, Sozial: Volker Kier, Verteidigung [Staatssekretariat]: Martin Bartenstein, Integrationsministerium: Willy Resetarits) würde statt zu einer Unterfütterung von blinden Ressentiments zu einer längst fälligen Aufbruchstimmung führen und wäre auch international herzeigbar. Ein Kanzler Schüssel stünde für seriöse Kontinuität – und in dieser Koalitionskonstellation zugleich für Innovation und Aufbruch. Er hätte eine Zustimmung hinter sich, von der er, verstrickt in die alte Situation, nie träumen hätte können – im Gegensatz zur Denkmöglichkeit einer »roten Ampel«, der gegenüber die ÖVP in Opposition gemeinsam mit der FPÖ in Opposition jene Koalition einüben könnte, vor der sich die Mehrheit fürchtet. Nicht nur ein Innenministerium ohne Schlögl, sondern auch die nur in dieser Konstellation mögliche Gründung eines neuen »Ministeriums für Integration« als Kampfansage gegen die Versuche Haiders, die Gesellschaft zu spalten, würde die Anti-Haider-Mehrheit Österreichs zu Zivilcourage und zugleich zu einer Regierungsunterstützung ermuntern, die die gegenwärtig angststarr gewählte Verhinderungskoalition nie bekommen wird.

Ach ja, der große Einwand: Diese Konstellation geht sich nicht aus! Ja, sie geht sich tatsächlich nicht aus – aber nur unter der gegebenen Voraussetzung, daß diese Variante nie öffentlich diskutiert wurde und somit nie zu einer realen Möglichkeit des Wahlverhaltens werden konnte. Die Frage ist doch, welche gesellschaftliche Dynamik entstünde, wenn nach einer unübersehbaren Zeit des einfach Gegebenen, der sozialdemokratischen Kanzlererbpacht, der Realität ohne Alternativen und schließlich einer Realität mit einer Horroralternative, plötzlich die Alternative ohne

Horror, der Wechsel ohne Abenteurertum und die Kontinuität ohne Stillstand denk- und wählbar wäre. Ist es so irreal sich vorzustellen, daß es dann zu einem Wählerstrom käme, in dessen Folge Grüne und Liberale jene Stimmen erhielten, die ihnen immer schon gegeben worden wären, wenn nicht die Sozialdemokraten sie abgesaugt hätten – mit dem Argument, sie seien das einzige Bollwerk gegen Haider?

Eine solche alternative Koalition gehört natürlich vorbereitet, im öffentlichen Diskurs und in der politischen Kleinarbeit. Sie wird daher nach der Wahl am 3. Oktober 1999 nicht möglich sein. Aber vielleicht gibt es noch eine Galgenfrist. Und dann wird sich erweisen, ob die politischen Eliten der Zweiten Republik lieber untergehen, als zu lernen, in realistischen Möglichkeiten zu denken ...

Ein Glückstag für Österreich

Die »Koalition NEU«, die Fortsetzung der ewigen SPÖVP-Koalition ist gescheitert – und zweifellos ist die absolute Mehrheit aller Österreicher, die nicht in der Hofburg residieren, zutiefst erleichtert, wenn auch aus unterschiedlichen Gründen. Welche auch immer es sind und wie auch immer sie sich artikulieren, davon müssen und nur davon können die nächsten politischen Entscheidungen ausgehen: Es ist, was noch vor wenigen Stunden unvorstellbar schien, der österreichischen Politik geglückt, »die Menschen da draußen« glücklich zu machen. Das Ende der Zweiten Republik ist nicht Produkt einer Verfassungsänderung (welcher Verfassung?) oder einer Systemänderung, sondern eines atmosphärischen Wandels: Die Bürger einer so oft und zu Recht als »Untertanenstaat« apostrophierten Republik nehmen Politik nicht mehr bloß hin, sondern an ihr auch Anteil, reagieren mit Argumenten und mit Emotionen, üben sich im Formulieren von Interessen und wollen sie in der politischen Repräsentation widergespiegelt sehen.

Egal, ob es jetzt zu einer roten Minderheitsregierung oder zu Schwarz-Blau oder gar zu Rot-Blau kommt – keine künftige Regierung wird hinter diesen Punkt zurück können. Noch am Tag vor dem Scheitern der Koalitionsverhandlungen, als in der ZIB 2 Andreas Khol (ÖVP) sagte, daß es doch »nur natürlich« sei, wenn eine bürgerliche Partei bei sich bietender Chance versuche, aus roten Gewerkschaften gelbe zu machen, und als Andreas Rudas (SPÖ) in der selben ZIB 2 sagte, daß die SPÖ, »wenn sie regieren will, die Sowohl-als-auch-Partei bleiben« müsse, noch an diesem Tag also schien es in Österreich nur eine einzige Frage zu geben: Können politische Mindeststandards noch weiter unterboten werden?

Und jetzt diese Erleichterung, dieses Aufatmen! Tatsächlich wäre eine sogenannte »Koalition NEU« ungefähr so neu gewesen wie dieser Meindl-Kaffee, der beworben wird mit dem Slogan » Jetzt NEU: MeindlCLASSIC«. Allerdings funktioniert Politik nicht so wie die Warenwirtschaft, auch wenn es ein Fetisch der politischen Herbeireder in Österreich geworden ist, den Staat als Unternehmen zu bezeichnen, ein politisches Programm als Ware und den Wähler als Konsumenten. Und es geradezu als neues Grundgesetz gelten soll, daß sich Staat, Parteien und Wähler in entsprechender Mimikry verhalten. Tatsächlich aber ist dieser Kurzschluß von politischem und marktwirtschaftlichem Verhalten so grotesk, wie es der Versuch von Künstlern wäre, sich an einem Waschmittel namens »GENIE« zu orientieren. »Gestaltung« bezeichnet in der Marktwirtschaft die Verpackung, in der Politik aber den Inhalt. Ebenso bedeutet »Tradition« in der Wirtschaft etwas anderes als in der Politik: Auf dem Markt kann, wenn sich plötzlich eine entsprechende Nachfrage artikuliert, eine neue Ware mit dem Slogan punkten: »Original nach Großmutters Rezept«, in der Politik aber ist auf je aktuelle Herausforderungen jedesmal ein neues Rezept nötig. Und umgekehrt ist die Politik gefordert, gegen neue wirtschaftliche Entwicklungen die tradierten Errungenschaften und Standards zu verteidigen, die bereits gegen wirtschaftliche Interessen erkämpft worden sind. Das heißt, der politische Parallelschwung zur Wirtschaft, die Vorstellung, man könne Rechts- und Systemsicherheit wirtschaftlichen Konjunkturen ausliefern bzw. alle politische Programmatik einer simplen Imitation von Marketingrezepten opfern, wäre das Ende von Politik: Denn sowohl »Pensionen original nach Großmutters Rezept« als auch »Ich bin jung. Ich bin frei. Ich suche das Abenteuer. Ich bin staatlich pensionsversichert!« sind politische Bankrotterklärungen.

Mit dem Scheitern der »Koalition NEU« ist nichts anderes gescheitert als vordergründig der Versuch, diese beiden Slogans zu einem grotesken Kompromiß zusammenzuzwingen (»Jung. Frei. Wie Großmutter«), und hintergründig beziehungsweise ebenso vordergründig die nie schlüssig argumentierte Notwendigkeit, ein Regierungsabkommen zu formulieren, das zwar kein Sparpaket enthält, aber eines ist. Jetzt tut sich eine Möglichkeit auf, die gemessen an der österreichischen Wirklichkeit und ihrer Geschichte einer Revolution gleichkommt: Nämlich demnächst eine Regierung im Amt zu sehen, die nicht achtundsechzig Jahre (Kaiser Franz Joseph) oder fünfundfünfzig Jahre (SPÖVP) oder zumindest dreißig Jahre (Kanzlerschaft SPÖ) unabwählbar ist. Diese Erfahrung wird, nach der atmosphärischen Änderung, dieses Land faktisch und strukturell verändern. Sie kann, durch politisches Handeln und politische Debatten entsprechend begleitet, zur Grundlage der Lösung all jener Probleme werden, die Österreich in den letzten Jahren einfach paralysiert haben. Diese Probleme sind, in der Reihenfolge ihrer Virulenz, erstens Haider, zweitens Haider, drittens Haider. Inland, Ausland, überhaupt. Dies, und nur dies, ist die Hauptursache dafür, daß alle darüber hinausgehende Politik in Österreich in den letzten Jahren so kläglich gescheitert ist, denn alle Politik der Koalition, deren eine Partner Haider imitierte und deren anderer Partner mit Haider kokettierte, hatte nur diese fixe Idee: Das Scheitern – Haiders. Und diese Koalition erzog die öffentliche Meinung, die in Kolumnen voranschritt, zu der unproduktiven Ausschließlichkeit der Debatte über eine einzige Frage: Wird Haider dadurch wirklich verhindert oder erst recht groß gemacht? Und wenn die Österreicher von Zeit zu Zeit aufgerufen wurden, wählen zu gehen, dann hatten sie keine andere Wahl als diese: Entweder keine Regierung wählen zu können oder der Regierung einen Denkzettel zu verpassen. Welche notwendigen Zukunftsentscheidungen, welche

Programmatik, welche politische Vernunft soll sich unter solchen Voraussetzungen durchsetzen können?

Dies ist, man müßte einen Feiertag ausrufen, zum Glück vorbei. Das ewige Verhindern des Führerparteiführers Haider hat – dialektische Volte der Geschichte – die ewige Fortsetzung der vordemokratischen Verhältnisse in Österreich verhindert. Und der Versuch, die Verhältnisse vollends auf den Kopf zu stellen, nur damit sie so bleiben, wie sie sind, ist definitiv gescheitert: Denn der Versuch, die überlebten sozialpartnerschaftlichen Verhältnisse (»Regierung unterschreibt, was die Sozialpartner wollen«) durch die simple Umkehrung zu retten (»Sozialpartner unterschreiben, was die alten Regierungsparteien wollen«), wäre nichts anderes gewesen als die Transformation des Schwanzes, der mit dem Hund wedelt, in ein Grab, in dem der Hund begraben liegt.

Dadurch erübrigen sich endlich all die nervtötenden politischen Phrasen, die politisch hilflos dadurch punkten wollten, daß sie den Unterschied zwischen Politik und Wirtschaft zu verwischen versuchten, wodurch all jene, die keine Politiker sind, aber politisch diskutieren, und jene, die keine Wirtschaftstreibenden sind, aber Wirtschaftskonjunkturen am eigenen Leib verspüren, immer mehr dazu getrieben wurden, ihr Kreuz bei Haider zu machen – der letztlich bei allen Haken, die er schlug, dies signalisierte: Daß er Politik machen will und daß er nicht die Geisel weltökonomischer Entwicklungen sein will. Durch Viktor Klimas Weigerung, sich dazu erpressen zu lassen, die Gewerkschaft zu zwingen, zum Büttel eines Koalitionsabkommens zu werden, ist die SPÖ wieder zu einer sozialdemokratischen Partei geworden, so wie die ÖVP durch Schüssels und Khols Versuch , der Gewerkschaft das Rückgrat zu brechen, überraschenderweise wieder zu einer bürgerlichen Partei geworden ist.

Jetzt sind die Karten nicht bloß neu gemischt, sondern

neu gedruckt. Ab jetzt ist ein Bube wieder ein Bube, ein As wieder ein As.

Ein Feiertag: Zu feiern sind die Rückkehr des Politischen in die österreichische Politik und, durch die Reaktionen, die dies zeitigt, der fulminante Beginn der Entstehung von Öffentlichkeit – ein halbes Jahrhundert nach Gründung der österreichischen Republik!

Jetzt haben die Österreicher endlich Wahlmöglichkeiten. Daher sollen sie bei den nächsten Wahlen auch die Möglichkeit haben, eine Entscheidung zu treffen.

Wie bald auch immer es zu Neuwahlen kommen wird – nie zuvor in der Geschichte dieser Republik ist der Begriff »Neuwahlen« treffender, stimmiger und sinnvoller gewesen. Bis dahin kann sich die SPÖ wieder als sozialdemokratische Partei profilieren – wodurch sie die Stimmen all jener Wähler, die mit sozialdemokratischen Positionen sympathisieren, sich aber wegen der sozialdemokratischen Simulation freiheitlicher Forderungen von ihr abgewandt haben, bei Neuwahlen zurückgewinnen kann. Die bürgerliche Bauernpartei könnte nun jenes Profil gewinnen, das ihr in der Koalition mit der SPÖ verwehrt war, zudem könnte sie verführt sein, jenem anti-sozialistischen Machtrausch nachzugeben, nach dem sie bereits die längste Zeit solch deutliche Sehnsucht hatte, wodurch auch dieser dann zur Wahl stünde, die Grünen könnten zeigen, daß sie die Oppositions-Rolle erfahrener und besser besetzen, und nicht zuletzt wären baldige Neuwahlen auch die einzige Chance für ein politisches Comeback der Liberalen. Und Haider? Das ist es ja: Aus dieser Situation können sich so viele Möglichkeiten entwickeln, daß es endlich nicht mehr bloß um diese Frage geht: »Und Haider?«

Bleibt nur noch eins, das Wichtigste: Da ja niemand hinter diesen Punkt zurück will, muß gewährleistet sein, daß die Österreicher, wenn sie dann endlich wählen können, tatsächlich die Chance haben, wählen zu können. Das heißt, daß es die Hauptaufgabe der Übergangsregierung sein muß, eine Wahlrechtsreform durchzusetzen, die es der Bevölkerung ermöglicht, tatsächlich ihre Regierung zu wählen – statt, wie bisher, bloß die Regierung im Amt zu bestätigen oder, falls sie dies nicht tut, wählend keine Regierung gewählt zu haben und dann dennoch regiert zu werden.

Eine Wahlrechtsreform, die zum Beispiel der relativ stärksten Partei die Möglichkeit gibt, mit der Hälfte plus einem der Mandate alleine zu regieren, gegen die starke Opposition jener Parteien, auf die die restlichen Mandate proportional nach ihrer Stimmenstärke aufgeteilt werden, – dies müßte in den nächsten Monaten einfacher durchzusetzen sein als jedes andere politische Desiderat.

Letztlich hat die nächste Regierung, welche auch immer es sein wird, die nun vom Präsidenten angelobt wird, gar keine andere Aufgabe als diese: Eine Wahlrechtsreform durchzusetzen. Danach diskutieren wir eine Verfassungsreform, und so wird Österreich mit der Zeit, statt Österreich zu bleiben, doch noch Österreich.

Wie bitte? Und Haider? Alles viel zu »gefährlich«? Demokratie und Rechtszustand und das alles würden wieder nur dem »neuen Hitler« nützen, weil dann käme er völlig legal erst recht an die Macht? Ach hörns' mir doch auf! Auch wenn man das Angekündigte in Österreich immer nur hören, aber nie wirklich einüben konnte: Es kann eine demokratische Republik nur ein einziges vernünftiges Substrat haben – und das ist nicht die reflexhafte moralische Entrüstung einzelner Bürger, nicht die Befriedung ihrer moralischen Entrüstung durch schmierige Verewigung jener Zustände, gegen die sie sich moralisch entrüsten, die aber immerhin nicht das Schlimmste, sondern »zum Glück« nur das Zweit- oder Drittschlimmste zulassen, es ist nicht wehrhafter Paternalismus, es ist nicht Gewohnheit, es ist nicht internationale Willfährigkeit in der Hoffnung auf ewige Liebe durch die große Welt, es ist nicht die berühmte österreichische Musikalität, die das garstig Lied Politik so singt, daß man nicht an Politik denkt, wodurch es dann weniger garstig klingt, nein, es kann nur ein einziges Substrat geben: und das ist ein vernünftiger Rechtszustand.

Und sollte auf dieser Basis doch einmal die Haider-Partei die Mehrheit erhalten und daher Haider Kanzler werden, dann wäre der Schrecken – auch international – viel geringer, wenn es die Möglichkeit gäbe, die es nie zuvor in Österreich gegeben hat – nämlich eine Regierung wieder abzuwählen. Dann könnte Österreich aus Schaden klug werden, statt, wie es bisher ununterbrochen war, aus Schaden dumm.

Dummheit ist machbar

Weltfeind Österreich – Eine Erregung

Es gehört zum Wesen einer Krise, daß sie nicht mit ihrer Lösung beginnt. Und ebenso gehört es offenbar zum Wesen einer Krise in ihrer konkreten österreichischen Abart, daß diese selbstverständliche Prämisse helle Überraschung, ja geradezu Hysterie auslöst. Dadurch haben wir in Österreich gegenwärtig zwei Krisen, nämlich die Krise und die Krise ihrer Interpretation. Die Krise nimmt grundsätzlich ihren Lauf, wie immer sie interpretiert wird, aus einem einfachen Grund: Weil sie objektive Ursachen hat. Die Krise der Interpretation der Krise aber nimmt nur deshalb ihren Lauf, weil die Interpreten objektive Ursachen nicht kennen und nicht anerkennen wollen. In ihren aufgeregten Moderationsversuchen sind die »gelernten Österreicher« und die von ihnen eingeschulten »Österreich-Experten« weder bereit die Prämissen des Begriffs Krise noch die Prämissen der konkreten Krise in Österreich zur Voraussetzung der Debatte zu machen.

Es sind, zugegeben, nicht viele Menschen in Österreich, aber doch einige, die sich angesichts dieser doppelten Krise bereits die Frage stellen, was jetzt wirklich größeren Anlaß zur Sorge gibt: die Gefahr einer rechten Regierung in Österreich oder die Gefahr, daß die gegenwärtigen Meinungsführer der Gegner einer solchen Regierung demnächst auch Sätze wie »Zwei mal zwei ist vier« oder »Die Welt ist rund« als intellektuellen Skandal in Österreich diffamieren werden. Und es ist mittlerweile sehr die Frage geworden, was ein denkendes Gemüt sich heute mehr ersehnt: eine Regierung, die, mit den Worten des Bundespräsidenten Klestil, »im In- und Ausland Ansehen genießt«, oder eine Diskussionskultur, in der bei allen Differenzen das Selbstverständliche wieder selbstverständlich ist. Bei mir zumindest ist die Sehnsucht nach zweiterem stärker. Denn wenn in den Debatten das Selbstverständliche wieder selbstverständlich ist, dann ist die Krise auch politisch ausgestanden. Bis dahin aber wird jeder Gedanke, jede These, jede Interpretation der österreichischen Wirklichkeit, die sich mit analytischer Neugier von selbstverständlichen und – man wollte glauben: – allgemein bekannten Prämissen ableitet, unmittelbar zum Opfer verzerrender und diffamierender Reaktionen jener, die in einer beneidenswert komfortablen Lage sind: Sie sind anerkanntermaßen moralisch integer, das heißt: sie sind nicht definiert durch ihre intellektuelle Neugier. Sie sind gebildet, das heißt: alles, was sie gelernt haben, hat gestern gestimmt. Sie sind von keinem Selbstzweifel angekränkelt, das heißt: sie sind nicht bei Sinnen. Aber: sie haben eine Art Interpretationsmonopol in dieser kleinen, engen, lächerlichen österreichischen Realität erobert, wodurch sie nichts anderes sind als, kurz gesagt, in die Krise geratene Krisengewinnler der Vorgeschichte der Krise.

Diese Vorgeschichte – und das ist nicht die Nazi-Geschichte, sondern die Geschichte der Zweiten Republik bis zum Scheitern der Koalitionsverhandlungen der bisherigen beiden Regierungsparteien – haben heute selbst jene vergessen, die diese Zeit politisch und publizistisch begleitet und mitgestaltet haben. Und es gehört einige Chuzpe dazu, diesen plötzlichen Gedächtnisverlust zur Geschäftsgrundlage einer Publizistik zu machen, die die Angstlust jener beliefert, die sich nun an die Vorgeschichte der Vorgeschichte erinnert fühlen.

Zur Erinnerung (auch wenn es sinnlos sein wird – denn ich habe nur Fakten, aber keine Moral anzubieten): Jahrzehntelang hatte die Zweite Republik Österreich ein Parlament, in dem es – einzigartig in der demokratischen Welt – keine Opposition gab. Die Parlamentarier waren nicht frei, sondern durch Klubzwang zur Zustimmung an die Beschlüsse ihrer Parteien verpflichtet, die zugleich die Regierungsparteien waren. Es gab also nicht nur keine Opposition, sondern nicht einmal formal oder theoretisch irgendeine mögliche Kontrolle der Regierung durch das Parlament.

Nun war aber auch die Regierung nicht frei. Sie hatte eine Nebenregierung, die so genannte Sozialpartnerschaft, die alle Gesetzesentwürfe, die die Regierung im Parlament zur Abstimmung brachte, bereits zuvor außerparlamentarisch ausgehandelt hat. Auf diese Weise erblickte jeder mögliche politische Interessenkonflikt augenblicklich schon als Kompromiss das Licht der Öffentlichkeit. Nun hatte aber auch diese Nebenregierung ein kleines Problem: Sie existierte formal nämlich überhaupt nicht. Sie ist in keiner Verfassungsbestimmung, nirgendwo in der Grundordnung des politischen Systems vorgesehen oder auch nur erwähnt. Man konnte daher ihre allseits bekannten Exponenten weder wählen noch abwählen – kurz: das demokratische System, das in Österreich ein halbes Jahrhundert lang irgendwie funktioniert hat, löst sich bei genauerer Betrachtung in nichts auf – kein (verfassungs)rechtliches Substrat, keine politische Legitimation.

Wer heute behauptet, daß es immerhin durch Wahlen demokratisch legitimierte Regierungen gab, hat eines vergessen: Sogar um eine Regierung, der kein freies Parlament gegenübersteht und die sich kampflos einer Nebenregierung ergibt – sogar um eine solche Regierung wählen und damit demokratisch legitimieren zu können, brauche ich eine winzig kleine Voraussetzung: nämlich eine Wahlmöglichkeit. Aber egal, wie man wählte, man wählte immer die vordergründige oder hintergründige Zusammenarbeit der beiden Parteien.

Hat in all diesen Jahrzehnten das demokratische Ausland, die demokratische Weltöffentlichkeit besorgt nach Österreich geblickt? Haben die entwickelten Demokratien auch nur ansatzweise ihre Muskeln spielen lassen, um den Österreichern zu bedeuten, daß dieses System eine Farce sei, und wenn das nicht schleunigst im Sinne demokratischer Grundprinzipien geändert würde, dann würde die freie Welt eine Quarantäne über Österreich verhängen? Hat dies stattgefunden? Nein.

Österreich ist in diesen Jahrzehnten ein wohlhabendes, stabiles Land geworden. Erklärt dies etwas? Meines Wissens haben die demokratischen Staaten niemals versprochen, daß alle Menschen dieser Erde zu Wohlstand kommen müssen, und wenn das irgendwo nicht der Fall sein sollte, erst dann, aber dann wirklich werden sie sich einmischen ... Tatsächlich haben sie »nur« versprochen, nach Möglichkeit aufgeklärte Standards und demokratische Prinzipien in der Welt durchzusetzen und zu verteidigen.

Wenn es also nicht um die Durchsetzung demokratischer Grundprinzipien und auch nicht um garantierten Wohlstand geht – wie funktionierte in den letzten Jahrzehnten oder zumindest Jahren im Hinblick auf Österreich der Schutz der Menschenrechte durch die freie Welt? Dies ist nun wieder ein Teil der Vorgeschichte, bei der ich leider nur Fakten anzubieten habe, aber keine Moral, und daher auch keine Vergeßlichkeit: Seit Jahren veröffentlicht amnesty international regelmäßig Berichte, denen zufolge Österreich die meisten Menschenrechtsbrüche aller europäischen Länder aufzuweisen hat. Haben die demokratischen Länder Europas, hat die freie Welt einmal, nur ein einziges Mal wenigstens, eine einzige ihrer diplomatischen oder politischen Möglichkeiten wahrgenommen, um den Österreichern, die für diese Menschenrechtsverletzungen verantwortlich waren, in den Arm zu fallen? Habe ich gehört, daß die Weltöffentlichkeit ein inbrünstiges »Jetzt reicht's!« nach Österreich gerufen hat? Nein. Wie gerne hätte ich es gehabt.

Es geht also nicht um demokratische Mindeststandards,

es geht nicht um Wohlstand und Frieden für alle, und es geht auch nicht um Menschenrechte in der Praxis. Das muß man sich einmal vor Augen halten, um die Groteske, die sich jetzt in und um Österreich abspielt, auskosten zu können. Was sind die Prämissen der aktuellen Situation? Zum ersten Mal seit einem halben Jahrhundert wird es in Österreich einen Regierungswechsel geben, der seinen Namen verdient. Die Nebenregierung ist entmachtet, das Parlament wittert Morgenluft. Das ist demokratiepolitisch ein Fortschritt – wenn auch bloß ein formaler.

In den letzten Jahren hatten wir eine konservative Regierung und eine starke rechte Opposition. Jetzt bekommen wir eine konservative Regierung und eine starke linke Opposition. Das ist ein Fortschritt – wenn auch bloß ein atmosphärischer. Aber das Formale und das Atmosphärische zusammengenommen, haben wir plötzlich etwas Überraschendes: die Realität, weil: viel mehr ist sie nicht.

Und die Regierung – und das sage ich, ohne auch nur im mindesten ihr Parteigänger zu sein –, die nun ihr Amt antreten wird, hat, soweit faktisch überprüfbar, vor allem dies vor: die Maastricht-Kriterien auf Punkt und Komma zu erfüllen, wie schmerzhaft auch immer die notwendigen Einschnitte sein sollten. Weiter: die Bedürfnisse der Europäischen Union nach Privatisierung und Liberalisierung der österreichischen Wirtschaft zu befriedigen, und zwar wesentlich konsequenter, als es dem Wunsch der österreichischen Bevölkerung entspräche und als es mit der alten Koalition möglich gewesen wäre.

Der Luxus der Heuchelei

Damit haben wir jetzt folgende Situation: Die Europäische Gemeinschaft müßte aus ökonomischen Gründen glücklich sein, will aber aus moralischen Gründen Sanktionen dagegen setzen. Die österreichische Bevölkerung müßte aus ökonomischem Selbstschutz dagegen opponieren, befindet sich aber in einem wollüstig-faszinierten Wendetaumel. Die österreichischen Journalisten, die aufgrund ihrer eigenen, seit Jahren vorgebrachten ökonomischen Argumente glücklich sein müßten, sind jetzt aus moralischen Gründen entsetzt und produzieren keine Medien mehr, sondern nur noch Selbstdarstellungsformen ihres moralischen Katers.

Und damit sind wir endlich beim zentralen Punkt: Was wir also jetzt in Österreich, wie in einem Versuchslabor der Europäischen Union, erleben, ist, daß sich die Schere zwischen Ökonomie und Moral öffnet. Ein bloßer Moralist kann das nicht verstehen, umso weniger, wenn er mit seiner Moral bisher auch ökonomisch profitiert hat. Und umgekehrt. Keiner, der, Ökonomie und Moral trennend, solange dies noch konfliktfrei möglich war, genau diesen Konflikt herbeigeschrieben hat, kann heute verstehen, woran er beteiligt ist. Vor allem, wenn es ein österreichischer Journalist ist, der, sozialisiert im alten Österreich, sich keine andere Wirksamkeit vorstellen konnte und erwarten wollte, als diese: daß er irgendwann den Professorentitel honoris causa verliehen bekommt.

Die Realität aber ist leider folgende: Eine internationale Staatengemeinschaft, die lange, lange Jahre mit dem Vorwurf konfrontiert war, daß sie bloß ökonomische Prinzipien kennt, will sich nun doch den Luxus eines moralischen Überbaus leisten. Und nichts ist bequemer, einfacher und folgenloser, als diesen Anspruch, auch oder gerade weil er den ökonomischen Interessen zuwiderläuft, einmal gegenüber einem kleinen, machtlosen Land durchzuspielen, zumal dieses Land in jahrzehntelanger Kleinarbeit bewiesen hat, daß es sich besonders gut in der Rolle des Opfers gefällt. Österreich hat es geschafft: Es wird zum verfemten Helden bei der Einrichtung des lang ersehnten europäischen Überbaus. Und zugleich bleibt es der Musterschüler bei den ökonomischen Vorgaben der Union. Jetzt erst recht.

Der Hauptakteur als Zuschauer

Klaus Maria Brandauer ist Schüssel. Klaus Maria Brandauer ist Haider. Klaus Maria Brandauer ist ganz alleine ein Bühnengewimmel, er verkörpert alle, die heute das Verhängnis Österreichs sind. Wäre das Parlament wirklich »ein Theater«, wie der Finanzminister meint, es wäre alles gut.

Bei der Burgtheater-Matinee vom 13. Februar 1990, als über »Gehen oder Bleiben« diskutiert wurde, hatte Klaus Maria Brandauer einen Genieblitz: Er schlüpfte in die Rollen der Hauptakteure der österreichischen Innenpolitik und spielte vor, wie sie gemäß innerer und dramaturgischer Logik handeln hätten müssen, wenn sie Figuren eines Theaterstücks wären. In einem Stück, so führte Brandauer vor, hätten alle Akteure nach dem 3. Oktober unvermeidlich zu dem Punkt kommen müssen, daß ihnen nur noch eines bleibt: Der Rücktritt. Damit wäre der Weg frei gewesen für eine vernünftigere Lösung als die, mit der wir heute leben und die wir bekämpfen müssen. Aber, so das Verdikt des Vollblutschauspielers über die Laienspieltruppe, darin zeige sich eben das Verhängnis Österreichs: daß die Politiker in diesem Land Figuren nur im pejorativen Sinn des Wortes seien.

Es war der größte Moment in dieser Debatte auf der Theaterbühne – mit einem kleinen Schönheitsfehler: Im Spiel des Mimen mit den Figuren fehlte der Regisseur. Der hätte gesagt: »Klaus, das war schon wunderbar, nur eines: Wenn du dich zum Beispiel in Schüssel hineinversetzt, dann darfst nicht DU Schüssel sein, sondern du mußt SCHÜSSEL sein!«

Sieht man das politische Spiel, das in der Realität gegeben und zu Recht ausgebuht wird, tatsächlich als Stück, dann – und das wurde mir dann immer klarer –, dann besteht der dramaturgische Konflikt gerade darin, daß alle zurücktreten müßten, aber keiner es kann. Die innere und äußere Ausstattung der handelnden Figuren und die bisherige Entwicklung der Handlung hatten zu einem Punkt geführt, daß keiner mehr einen Schritt machen konnte, nicht einmal einen Rücktritt, so sauber diese Lösung auch wäre. Keiner – mit einer Ausnahme: Die Regierung kann angesichts der innenpolitischen Proteste und der Sanktionen durch die EU nicht so tun, als wäre nichts, ihr Flehen, sie doch arbeiten zu lassen und erst dann zu beurteilen, ist ein bloßes Flehen und kein Handeln. Aber sie kann auch nicht die einzig logische Konsequenz ziehen, nämlich zurücktreten. Das käme dem Eingeständnis gleich, daß diese Koalition das Produkt politischen Abenteurertums war und daß das Abenteuer eben schiefgegangen ist. Schüssel wäre politisch tot, und es wäre auch höchst zweifelhaft, ob die Koalitionsparteien bei Neuwahlen wieder eine gemeinsame Mehrheit erhalten würden. Die parlamentarische und die außerparlamentarische Opposition aber können hinter die Forderung nicht zurück, daß diese Regierung zurücktreten müsse, denn das wäre gleichsam das Eingeständnis, daß zunächst allzu hysterisch reagiert und die politische Gefahr für dieses Land als übertrieben groß eingeschätzt wurde. Die EU-Staaten können ebenfalls von ihren Sanktionen keinen Deut abrücken, nichts zurücknehmen, denn dadurch würde der katastrophale Eindruck entstehen, daß man entweder falsch über die politische Realität in einem Mitgliedsland informiert war oder, noch ärger, daß die politisch-moralischen Standards nur Knallerbsen sind. Der einzige – und das ist sozusagen der dialektische Witz – der noch politisch handlungsfähig war und die Situation neu aufmischen konnte, war der Mann, der der Auslöser dieser allgemeinen Patt-Situation war: Jörg Haider selbst. Wenn er in einer plötzlichen Pirouette, die ja grundsätzlich zu seinem Stil gehört, zurücktritt, dann gewinnen alle, aber er am meisten. Natürlich gewinnen alle nur scheinbar. Schüssel und die ÖVP können sich erleichtert fühlen, weil der »Schattenkanzler« jetzt formal wirklich nur noch Landeshauptmann ist, so wie z. B. auch Wendelin Weingartner in Tirol, der ja ebenfalls gelegentlich Kritik an der Regierung in Wien äußert, ohne daß deswegen helle Aufregung ausbricht. Die Opposition kann sich im Erfolg eines Teilsiegs sonnen, die EU kann die wirtschafts- und realpolitisch ihr selbst höchst unangenehmen Sanktionen neu überdenken, weil der Mann mit den schrecklichen Sagern ja nicht mehr Obmann einer Regierungspartei ist, und sogar die Sozialdemokraten scheinen zu gewinnen: nämlich mittelfristig die zusätzliche Option Rot-Blau. Aber das ist, wie gesagt, alles nur Schein. Das Publikum weiß es. Aber die auf der Bühne müssen weiterspielen, als wüßten sie es nicht, nur weil sie jetzt weiterspielen können. Sie müssen schön reden, während sich Furchtbares anbahnt: Denn wirklich gewinnt nur Haider: Er ist jetzt der Retter Österreichs, der Österreich zuliebe zurücktritt, damit die EU nicht mehr böse ist, damit die Regierung in Ruhe arbeiten kann, damit die Demos aufhören und Ruhe und Ordnung einkehrt. Er verzichtet auf ein hohes Amt, seinem Land zuliebe. Das Volk, rechts hinten auf der Bühne, ist baff: Dieser Mann ist einzigartig, anders als die anderen kein Sesselkleber, kein verantwortungsloser Ehrgeizling, sondern ein Heiliger des Gemeinwesens. Tatsächlich hat er nur die Verantwortung dafür aufgegeben, wenn diese Regierung scheitert, und er kann jederzeit unbeschädigt als gefeierter Patriot und Retter zurückkommen. Er hat bereits bewiesen, daß er regieren kann, obwohl er nicht Mitglied der Regierung ist, also kann er auch eine Partei führen, ohne ihr Obmann zu sein.

Welch zutiefst österreichische Tragikomödie: Aus einem Kampf gegen das Böse scheint nur der Böse unbeschädigt hervorgehen zu können, er schaut zu, während die anderen weiterkämpfen.

Vorhang. Pause.

Im Foyer, in den Gängen, in der Bar des Theaters wird mit Sekt heftig diskutiert. Ja, Österreich hat sich verändert: Der Skandal spielt sich auf der Bühne ab, und die Öffentlichkeit wird durch nichts anderes erregt als durch das Stück selbst.

Wird die »Botschaft« der unmoralischen Anstalt, die die gegenwärtige politische Situation in Österreich heute darstellt, endlich verstanden werden?

Es genügt nicht, einer problematischen politischen Bewegung, genannt »das Böse«, entgegenzuhalten, daß man selbst »gut« sei. Es genügt nicht, rechte Vereinfacher mit linken Vereinfachungen zu bekämpfen, Rechtspopulismus mit »anständigem« Populismus zu beantworten. Es ist einfach notwendig, das politische Szenario immer wieder zu analysieren, um gewappnet zu sein und ebenfalls Spielraum zu gewinnen. Wer sich immer wieder überraschen läßt und nur dies weiß: man selbst ist »gut«, der verliert. Es stimmt schon: Denken darf, anders als die Moral, keine Tabus kennen. Dennoch muß ein Gleichgewicht zwischen Integrität und Denken möglich sein, sonst wird der letzte Akt nichts anderes zeigen, als daß wir uns alle frech in unser Schicksal fügen müssen und ohnmächtig auf dem Boden liegend immer noch trotzig unsere moralische Überlegenheit feiern. Bisher jedenfalls ist viel zuviel »aus dem Bauch heraus« geschehen. Ich finde, man hat mit seinem Bauch genug Probleme, selbst wenn man ihm nicht auch noch das Denken aufbürdet.

In achtzig Tagen gegen die Welt

Eine österreichische Zwischenbilanz

Als Mitte der Achtzigerjahre die erste Übersetzung von Ingeborg Bachmanns Roman *Malina* in Brasilien erschien, war die brasilianische Literaturkritik begeistert. Besonders gelobt wurde die Gabe der Dichterin, übergangslos von einem alltäglichen, scheinbar unschuldigen Szenario ins Surreale und eigentümlich Bedrohliche zu kippen. Ein in mehreren Feuilletons angeführtes und besonders akklamiertes Beispiel war jene Stelle des Romans, wo die Protagonisten sich in der Wiener Innenstadt treffen und gleichsam aus heiterem Himmel beschließen, mitsammen »zum Abgrund zu gehen und dort einen Kaffee zu trinken«. Ein Abgrund, eine Schlucht, ein sich auftuender Boden (port.: »fossa«) inmitten eines urbanen Zentrums! Und diese Gelassenheit, mit der am Rande des Abgrunds Kaffee getrunken wird! Kann es ein überraschenderes, ein dichteres, intensiveres Bild geben für die Dialektik der Moderne, für die doppelbödige Realität Europas, das nach den Greueln des letzten Weltkriegs so schön getüncht wiederaufgebaut wurde, und für die letztlich abgründige Unschuld der Österreicher im besonderen? Die Diskussion über diesen Roman war so intensiv, daß sie zweifellos zu sehr produktiven Konsequenzen in der brasilianischen Literatur und in der Welterkenntnis der Leser führte. Übersetzt man allerdings das portugiesische Wort »fossa« zurück ins Deutsche, befinden wir uns auf dem »Graben«, einem schicken Platz im Zentrum Wiens mit einigen Cafés ohne doppeltem Boden, ohne sich öffnender Schlucht. Eines der Kaffehäuser auf diesem Platz ist übrigens das »Café Europe« – das seit circa hundert Tagen »wegen Umbaus« geschlossen ist ...

Ich glaube, weder Österreicher noch Nicht-Österreicher sind sich wirklich darüber im klaren, auf wieviel produktiven Mißverständnissen jede Debatte über die literarische, aber auch politische und gesellschaftliche Realität dieses Landes beruht: scheinbar so einfach nachvollziehbare Voraussetzungen, die so einfach nachvollziehbar aber gar nicht sind, scheinen unversehens ins Groteske oder Bedrohliche zu kippen, das aber so grotesk oder bedrohlich gar nicht ist, und dazwischen tun sich Abgründe auf, die zwar nicht existieren, aber doch Einblicke unter die Oberfläche ermöglichen.

Zum Beispiel erschienen nach der Nationalratswahl vom 3. Oktober 1999 die österreichischen Nachrichtenmagazine mit dem Aufmacher: »Der neue Kanzler«. Das ist sozusagen der international unmittelbar kompatible Aspekt, das vordergründig Selbstverständliche, das unmittelbar Nachvollziehbare, das allgemein Vertraute: So reagieren die Medien wohl in jedem demokratischen Land. An diesem Punkt würde also jeder ausländische Übersetzer glauben, daß er alles versteht und sich auf dem Boden einer – noch – einfachen Realität befindet. Irrtum! In Wahrheit waren bereits diese Worte etwas extrem Ungewöhnliches, geradezu Sensationelles in Österreich: Immerhin hatte es hierzulande seit beinahe dreißig Jahren keine Wahl mehr gegeben, in deren Folge eine Zeitung oder Zeitschrift mit dem Titel »Der neue Kanzler« aufmachen konnte. Seit 1971 ist nämlich bei jeder Wahl der bereits amtierende Kanzler als Kanzler bestätigt worden. Aber das muß man »im Ausland« nicht unbedingt wissen.

Und jetzt gehen wir in ein Café auf dem Graben, um das Wahlergebnis zu diskutieren – und es scheint sich ein Abgrund aufzutun: Unter den Lettern »Der neue Kanzler« strahlt von den Titelseiten aller österreichischen Nachrichtenmagazine ein Foto des lachenden Spitzenkandidaten jener Partei, die bei diesen Wahlen auf den dritten Platz der Wählerzustimmung zurückgefallen war. So übergangslos, so plötzlich aus dem Nichts wird in Österreich einfache

Normalität surreal. Irrtum! Nichts ist surreal. Der Mann wurde dann wirklich Kanzler! Und kein denkendes Gemüt in Österreich hat es anders erwartet. Er hatte aufgrund dieser Wahl eine parlamentarische Mehrheit, die ihn zum Kanzler machen konnte und wollte.

Der Welt erschien also als normal, was in Österreich eine Sensation war: daß nämlich eine Wahl ein Ergebnis zeitigt, das eine politische Änderung ermöglicht. Und dann erschien der Welt als völlig unverständlich und bodenlos, was den Österreichern nur logisch und selbstverständlich erscheinen mußte: daß diese Änderung, die so sehr erwartet wurde, daß sie sich eben auch einhellig in den Titelseiten der Printmedien spiegelte, nun auch vollzogen wurde.

Der Graben wurde also zur »fossa« und ist doch nichts anderes, als er immer schon war. Ein topographisch einfach bestimmbarer Ort, wo ein Café renoviert wird, ein anderes verkommt und wo ausgerechnet »die Pestsäule«, so ein Reiseführer, »die Schönheit des österreichischen Barock anschaulich macht«.

Es ist wahrlich mühsam, über Österreich zu diskutieren und dabei unausgesetzt jene Schluchten, die sich zwischen der österreichischen und der internationalen »Normalität« auftun, zu überbrücken. Zumal sie, diese Abgründe, nicht Folge von Abgrenzung sind, sozusagen von Gräben, die mutwillig aufgerissen werden, sondern ganz im Gegenteil Produkt eines Über-Eifers der Nachahmung, eines verzweifelten Bemühens, so zu sein oder zumindest zu scheinen wie die anderen – wobei die anderen dann allerdings nur fassungslos die sich erst dadurch öffnenden Differenzen bestaunen. In demokratischen Ländern, wo es, weil sie eben demokratische Länder sind, zu regelmäßigen Regierungswechseln kommt, ist es bekanntlich üblich, nach hundert Tagen Amtszeit einer neuen Regierung eine erste Zwischenbilanz zu ziehen. Nun gab es nach mehr als einem Vierteljahrhundert sogar in Österreich die Möglichkeit dafür. Endlich auch diesbezüglich Normalität also? Mitnichten. Der unmittelbar so banale Nachahmungstrieb hat sich übergangslos in ein Graben-fossa-Mißverständnis verheddert. Lehren die international erfolgreichen Medien nicht auch dies: daß man schnell sein, den Konkurrenten zuvorkommen müsse? Zwei Aspekte internationaler Normalität verbanden sich daher in der österreichischen Variante zu einer von außen kaum nachvollziehbaren Absonderlichkeit: Die Bilanzen »Die ersten hundert Tage« erschienen in allen österreichischen Medien bereits rund achtzig Tage nach Antritt der gegenwärtigen Regierung. Und die restlichen zwanzig Tage? Die markieren genau die Differenz, um die es hier geht: Während die Österreicher irgendwie zu Recht der Meinung sind, wieder einmal internationale Vorgaben übererfüllt zu haben, sieht die internationale Öffentlichkeit nur einmal mehr, daß da etwas fehlt, unterschlagen, vergessen oder gar verdrängt wurde.

Liest man in diesen Tagen etwa die holländische Presse, kann man auf die Frage stoßen, »ob diese vergessenen zwanzig Tage die Österreicher bereits jetzt darauf einüben sollen, das aktuelle Kapitel ihrer Geschichte dereinst so zu vergessen wie die Jahre zwischen 1938 und 1945?« Natürlich ist diese Reaktion ungerecht, so sehr wie der Anlaß lächerlich ist. Aber der Eindruck ist einmal mehr: Der Graben, diese elegante Adresse, ist zugleich »fossa«, ein unerklärlicher Abgrund. Das hat, nach der klassischen Identitätsphilosophie, natürlich auch seine absolute Richtigkeit: Österreich ist Österreich und zugleich auch Österreich – und eben erst deshalb das Land, das es ist.

Was ist das also für ein Land, was können wir nach hundert Tagen neuer Regierung erkennen, wenn wir eine Brücke schlagen über den Graben, beziehungsweise über den »Graben«, und hinabblicken? Es wäre natürlich ein groteskes Mißverständnis, verschärft dadurch, daß es so besonders naheliegend ist, wenn wir nun diese Regierung

»nach ihren Taten beurteilen« wollten. Denn genau dadurch täte sich keine Differenz, keine Kluft auf, und unsere Brücke wäre eine Brücke über Nichts, über keinen Graben. Denn diese Koalition regiert auf der Basis eines Regierungsprogramms, das bekanntlich weitgehend identisch ist mit jenem, das bereits für den Fall ausverhandelt war, daß es doch noch einmal zu einer Fortsetzung der alten Regierungskoalition kommt. Der einzige markante Unterschied, der Graben, der zur »fossa« wird, ist die Tatsache, daß diese Regierung plötzlich mit Auseinandersetzungen und Sanktionen konfrontiert ist, die Österreich in eine internationale Quarantäne befördern, just als dieses Land endlich die selbstgewählte Quarantäne verlassen hatte, in der jahrzehntelang versucht worden war, aus dem Atlantis des Weltgeists eine »Insel der Seligen« zu machen.

Man muß schon sehr beisammen gesessen sein, um sich so wütend auseinandersetzen zu können. Und es bleibt die Frage, wofür es bisher so selbstverständlich einen Sanctus gab, daß ihm nun solch harte Sanktionen entspringen. Der Unterschied zwischen der nicht mehr gewählten und der nicht gewählten, also zwischen der früheren und der gegenwärtigen Regierung ist nicht so sehr inhaltlich, programmatisch, in der politischen Praxis begründet als bloß darin: in den Reaktionen aus dem In- und Ausland, die diese Regierung zu gewärtigen hat. Eine Bilanz über die ersten hundert Tage der Regierungskoalition zwischen ÖVP und FPÖ kann also nur eine erste Bilanz über die Auseinandersetzung mit dieser Regierung sein.

Dieses Resümee drängt sich auf: Die ersten hundert Tage der gegenwärtigen Regierung zeigen vor allem, daß dringend die Geschichte des Antifaschismus in der Zweiten Republik aufgearbeitet gehört. Kein Land auf diesem Kontinent, der vor über einem halben Jahrhundert fast zur Gänze faschistisch war, ist jemals so unnachgiebig und konsequent der Wiederbetätigung bezichtigt worden wie

Österreich im Jahr 2000 aufgrund der gegenwärtigen Regierung. Da muß also etwas Wahres dran sein und kann doch so nicht wahr sein – mit anderen Worten: Hier haben wir den Graben. Was ist wahr?

Kann es wahr sein, daß die Geschichte Österreichs, wenn wir heute von Österreich sprechen, mit Hitler begann und systematisch zu einem angeblichen Wiedergänger führte? Kann es, zum Beispiel, wahr sein, daß eine österreichische Dichterin wirklich nur Schulterklopfen erntet, wenn sie über Jahre ihr literarisches Werk auf der eigentümlichen These aufbaut: »Österreich ist faschistisch. Der Sport ist faschistisch. Alles ist faschistisch!« – und just im Moment, da ein solches Werk sich gegenüber der Realität behaupten könnte, ja müßte, eine Erklärung veröffentlicht, der wörtlich zu entnehmen ist: »Die Aufführung meiner Stücke in Österreich zu verbieten ist die letzte Freiheit, die mir noch geblieben ist.«

»Die letzte Freiheit, die mir noch geblieben ist« – seltsam: ich habe etwas übersehen, versäumt, nicht wahrhaben wollen: Ich gehe unbehelligt demonstrieren. Ich kann sagen, schreiben, publizieren, was ich will. Ich kann mich versammeln mit Freunden, mit Gleichgesinnten, Pläne schmieden, ich kann diese Pläne versuchen umzusetzen und scheitere, wenn ich scheitere, nur an mir selbst und nicht an der Staatsgewalt. Ich kann in die Synagoge gehen und sie unbelästigt wieder verlassen, ich kann aus- und wieder einreisen, ich kann sogar auf der Staatsbühne, dem Burgtheater, politisch diskutieren, dort erleben, wie ein Regierungsmitglied gnadenlos ausgebuht wird, aber dennoch scheinen, von mir unbemerkt, in Österreich die bürgerlichen Freiheitsrechte aufgehoben worden zu sein – bis auf ein einziges: Es ist niemandem verboten, die Aufführung seiner Stücke zu verbieten ...

Meine Familie väterlicherseits hatte 1938 vor Hitler nach England flüchten müssen. Wegen eines Haider wäre sie gewiß nicht geflüchtet. Sie packt auch jetzt nicht ihre Koffer – außer, sie will Urlaub am Faaker See oder am Millstädter See machen. Es hätte allerdings sein können, daß sie, wenn es damals in England einen Haider gegeben hätte, nicht nach England hineingekommen wäre. Das wäre schlimm genug gewesen, aber: Vertreibung oder Aufnahme-Restriktionen, das zeigt doch auch einen qualitativen Unterschied – erst recht wenn man bedenkt, daß ein englischer Haider alleine gar nicht genügt hätte, das Land gegenüber Flüchtlingen dichtzumachen, es hätte dazu auch einen englischen Schlögl geben müssen ...

Ja, doch, das sind Früchte der Vergangenheit: Jahrzehntelang konnte man in Österreich zum kritischen Künstler oder Intellektuellen promoviert werden, wenn man bloß eine Einführungsproseminararbeit des Inhalts abgeliefert hat, daß Österreich sich darum herumgeschwindelt hat, seine Mitschuld an den Nazi-Verbrechen einzugestehen. An dieser These ist äußerlich was Wahres dran, weniger aber an ihren Implikationen: abgeleitet wurde nämlich, daß Nazi-Mentalität oder stillschweigende Zustimmung zu den Nazi-Greueln immer noch Bestandteil der »österreichischen Mentalität« sei. Dies ernst nehmend, müßte man folgern, daß sich im Lauf eines halben Jahrhunderts, davon mehr als die Hälfte unter sozialdemokratischer Regierung, nichts anderes im allgemeinen Bewußtsein in Österreich entwickeln hätte können als immer wieder aufs neue eine grundsätzliche, stillschweigende Affinität zum Nationalsozialismus. Das ist natürlich ein evidenter Unsinn. Das heißt, daß die traditionelle Österreichkritik, wie sie von den verdienten Dichtern, die ihre Karrieren in den Siebzigerjahren begonnen haben, formuliert wurde, falsch ist. Und sie ist nicht nur falsch – das alleine wäre ja noch kein Problem –, sie befindet sich durch die Zeitverzögerung, mit der sich Künstler gemeinhin durchsetzen, heute als durchgesetzte, also als Kritik vom literarischen Parnaß herab, in einer Monopolsituation, die fatal ist. Da ist keine kritische Auseinandersetzung mit der Realität mehr möglich, da gibt es nur noch Sehstörungen gegenüber der Realität, die durch den Weihrauch, der der eigenen moralischen Überlegenheit geschwenkt wird, völlig vernebelt ist.

Natürlich stimmt, daß sich die wiedergegründete Republik beharrlich geweigert hat, in irgendeiner Form Mitverantwortung für österreichische Beteiligung an den Naziverbrechen zu übernehmen. Und bekanntlich stimmt auch, daß statt dessen die Geschichtslüge von »Österreich als erstem Opfer der Nazi-Aggression« zur Grundlage der Souveränität der Zweiten Republik gemacht wurde. Und es ist deutlich, daß dies Konsequenzen hatte, die bis heute fortwirken: zum Beispiel die Tatsache, daß Entschädigungen für Nazi-Opfer und zumindest symbolische »Wiedergutmachung« bis heute hinausgezögert werden konnten. Aber: Diese damals realpolitisch so pragmatische Ignoranz und dieser seinerzeit so unappetitlich listig demonstrierte Mangel an Unrechtsbewußtsein bedeuten nicht – und schon gar nicht »automatisch« –, daß es in der Folge bruchlos zu NS-Kontinuitäten in Österreich kommen mußte, institutionell oder im Bewußtsein, im Denken der Menschen, in ihrem Handeln, in ihren politischen Absichten. Im Gegenteil: Diese seinerzeit so kalte Verabschiedung Österreichs von seiner jüngsten Geschichte war ein Bruch, ein Bruch in einer der Formen, die damals möglich waren, rückblickend gewiß nicht der am meisten wünschenswerte, aber es war ein Bruch. Niemand hat gegen diese Zäsur Einspruch erhoben, niemand hat laut und vernehmlich in Österreich gesagt: Halt! So einfach lassen wir uns unsere Geschichte nicht wegnehmen, wir waren keine Opfer, wir haben an etwas geglaubt, es war nicht alles schlecht! – Nein, der Common sense war: Bruch mit dieser Geschichte. Weg damit!

Und: Es wurde entnazifiziert. So halbherzig und lustlos

dies auch geschehen sein mag, gleichsam als Pflichtübung gegenüber den Alliierten, so hatte es doch Konsequenzen: Die Entnazifizierung produzierte einen radikalen Bruch in der öffentlichen Meinung über den Nationalsozialismus, sie produzierte Brüche in individuellen Karrieren, Identitätsbrüche – einfach deshalb, weil sich jeder Nazi nach 45 die Frage gefallen lassen mußte, ob er nicht ein Verbrecher war. Eine Frage übrigens, mit der die Austrofaschisten nach 45 nie konfrontiert wurden.

Es ist seltsam, daß regelmäßig vergessen wird, daß Österreich nicht einen, sondern zwei Faschismen erdulden hatte müssen. Seltsam, daß die Österreich-Kritiker in ihrer unermüdlichen Suche nach »faschistischen Kontinuitäten« diese immer dort behaupten, wo es sie nicht gibt, sie aber dort nicht sehen, wo sie auf der Hand liegen. Als Hitler 1938 Österreich kassierte, wurden nicht nur augenblicklich Kommunisten, überhaupt Antifaschisten aller politischen Lager, Juden, Zigeuner und Homosexuelle verfolgt, sondern auch seine unmittelbaren politischen Konkurrenten. Und der Austrofaschismus war ein konkurrierender Faschismus. Deshalb kamen auch Faschisten in die Lager der Nationalsozialisten. Das führte 1945, nach der Befreiung, dazu, daß die Austrofaschisten als Hitler-Opfer und daher in einem praktischen Kurzschluß als »Antifaschisten« anerkannt – und sofort exkulpiert waren. Sie waren die Faschisten, die nach 45 keine Zäsur machen mußten, sie konnten unmittelbar dort weitermachen, wo sie vor Hitler aufgehört hatten, sie konnten unbelastet darauf zurückkommen. Was sie repräsentierten, war der »gute, der anständige« Faschismus, der damals nur noch nach leidvoll geprüftem Patriotismus roch.

Was bei der Beurteilung der österreichischen Realität also immer vergessen wird: Kein Austrofaschist ist, im Gegensatz zu den Nazis, je mit der Frage konfrontiert worden, ob er einem großen Irrtum, einer Verblendung aufgesessen ist, gar ein Verbrecher war, keiner hat auch nur die Veranlassung gehabt, sich das insgeheim zu fragen. Im Gegenteil: Sie wurden – im Gegensatz zu den Kommunisten oder Radikalsozialisten mit ihren unermeßlichen Opfern im Widerstand – als patriotische Kämpfer heiliggesprochen.

Es wäre interessant zu wissen, wie die europäische und die Weltmeinung reagiert hätten, wenn die SPÖ, statt hilflos darüber zu stolpern, daß ein Vertreter der Sozialpartnerschaft nicht das Regierungsprogramm unterschreiben will, gesagt hätte: »Wir können mit der ÖVP nur dann eine neue Koalition eingehen, wenn sie endlich mit der Faschismus-Verherrlichung aufhört, die sich z. B. auch daran zeigt, daß diese Partei immer noch ein Porträt des austrofaschistischen Führers in ihren Club-Räumen hängen hat!«

Hätten gettoattack, Demokratische Offensive, SOS Mitmensch diese Ansage unterstützt? Warum nicht? Dreihunderttausend Menschen auf dem Heldenplatz gegen austrofaschistische Kontinuitäten? Warum nicht? Wo beginnt der Antifaschismus? Erst beim Kampf gegen Nationalsozialismus?

Und wenn der Begriff »Antifaschismus« heute in Österreich nur noch »Kampf gegen den Nationalsozialismus« bedeutet, wie begründet man dann den Kampf gegen die FPÖ und Haider, dem man alles mögliche nachweisen kann, aber nicht, daß er ein Neonazi mit nationalsozialistischer politischer Programmatik ist? Beweist es nicht geradezu, wie radikal der Bruch Österreichs mit seiner Nazi-Vergangenheit war, wenn nicht einmal mehr die österreichischen Antifaschisten, also jene, die sich am intensivsten damit beschäftigt haben, heute wissen, was nationalsozialistische Programmatik ist? Und wer jetzt einwendet, daß Haider, egal ob er vorprescht oder ob er taktisch zurücktritt, sich natürlich hütet anzukündigen, was er will, sondern dies erst zeigen wird, wenn er Kanzler ist – wer das wirklich glaubt, der muß mit dieser Behauptung eine neue Faschismustheorie mitliefern. Denn dann sind alle Faschismustheorien, die wir kennen, Makulatur. Es gab nämlich keine einzige faschistische Bewegung, die nicht angekündigt hatte, was sie wollte.

Das würde mich in der Tat interessieren: Eine neue Faschismustheorie, die empirisch begründet ist auf der Analyse eines österreichischen Landeshauptmanns ohne explizites faschistisches Programm.

Wenn es, wie gesagt, eine faschistische Kontinuität in Österreich gab, dann die vom Austrofaschismus in die Zweite Republik. Diese Kontinuität war eine dreifache: einerseits eine institutionelle, durch das sozialpartnerschaftliche Konkordanzsystem ohne wirksame Opposition und demokratische Kontrolle, das zu Recht von den Linken über Jahrzehnte kritisiert worden ist, bis es durch Haiders Kritik plötzlich zur Heiligen Kuh der Linken wurde, zweitens eine verfassungsgeschichtliche, die der Grund dafür ist, daß die Verfassung der Zweiten Republik keinem denkenden Menschen ermöglicht, ein Verfassungspatriot zu sein, ja mehr noch: die dazu führt, daß »Verfassungskonformität« erst zur Bedrohung werden kann, gegen die die Demokraten heute kämpfen, und drittens eine mentalitätsgeschichtliche, die sich in dem operettenhaften Patriotismus der Zweiten Republik zeigt, einer geistlosen Fortsetzung der im Ständestaat vorformulierten Liebe zum »Österreichischen Wesen«, zu den »österreichischen Naturschönheiten«, zu der »Sendung Österreichs«, zum bloßen Dasein auf dieser bitte schön dankbaren, mit Mozart beschenkten Welt und so weiter, zu allem möglichen also, nur nicht zu der Idee eines aufgeklärten Rechtszustands.

Womit hat Haider, der bekanntlich »die Deutschtümelei in der Freiheitlichen Partei« abgeschafft hat, in den letzten Jahren systematisch gepunktet? Immer wieder mit Referenzen an die austrofaschistische Mentalität, immer mit einer Mobilisierung dieser Geisteshaltung, die in Österreich nie einen Bruch, nie eine Zäsur, nie eine kritische Revision erfahren hat. Die seit 1945 in Österreich als gut, als anständig, als fleißig, als patriotisch galt und dabei auch noch als antifaschistisch, weil von Hitler verfolgt. Was jeden entlastet, der Haider zustimmt, und jeden zu Recht wütend macht, der wegen dieser Zustimmung als »Nazi« bezeichnet wird. Diese Geisteshaltung, die in der Zweiten Republik von Anbeginn an da war, so »unbelastet« und von allen Parteien und von der Boulevardpresse systematisch bedient, weil sie so vorbildlich »patriotisch« war, diese Mentalität hat Haider systematisch aktiviert – ohne dabei auf die konkrete politische Programmatik des Austrofaschismus oder auf dessen Symbole zurückzugreifen, ganz anders eben, als es die Neonazis etwa mit dem Hakenkreuz tun. Nein, Haiders Programm war: Vergiß das Programm, mobilisiere die Mentalität! Und austrofaschistischer Ungeist im Gegensatz zu nationalsozialistischem bedeutet: Dem »kleinen Mann« verpflichtet und nicht seiner Aufhebung in einer Monumentalrepräsentation; irgendwie »modern«, aber anti-urban; trotzig herrisch, aber nicht weltmachtsüchtig; ressentimentgeladen und nicht eiskalt technokratisch; autoritätssüchtig, aber nicht reihundgliedstramm; ausgrenzend, aber nicht vernichtend.

Bis hierher ist vielleicht alles überraschend, aber doch klar, weil eindeutig. Jetzt aber wird es für die Antifaschisten kompliziert, weil dialektisch. Die mentalitätsgeschichtliche Kontinuität vom Austrofaschismus zur Zweiten Republik hat Haider also am besten für sich genützt. Irgendwie damit gespielt haben aber alle: Von der institutionellen Kontinuität haben bis zur letzten Sekunde ausschließlich die beiden Parteien profitiert, die ein halbes Jahrhundert gemeinsam dieses Land regiert haben – am Ende nur noch schulterunschlüssig gegen Haider, und dabei nie von wünschenswerten internationalen Sanktionen bestraft. Die Sozialdemokratie hatte es bereits als einen für alle Ewigkeit ausreichenden »Demokratisierungsschub« empfunden, in die vom austrofaschistischen Ständestaat vorgegebenen und herübergeretteten Strukturen nun miteingebunden zu werden: in die außerparlamentarische Aushandlung der Gesetze, unter informeller Einbeziehung der Stände, ohne demokratische Kontrolle. Haider aber hat diesem System unausgesetzt schwere Schläge versetzt. Hier kommt er als einfacher Machtpolitiker ins Bild: Wenn er regieren will, dann will er keine Nebenregierung. Bloß durch diesen Sachverhalt ist er mit jedem Politiker der demokratischen Welt kompatibler als alle jene, die Österreich bis Ende 1999 regiert haben.

Es ist kein Satz, keine Absichtserklärung Haiders bekannt, daß er das Parlament schließen, den Parlamentarismus abschaffen wolle, aber bekannt ist sein systematischer Kampf gegen die Sozialpartnerschaft, gegen dieses korporatistische, außerparlamentarische, aus dem Ständestaat kommende, das Parlament entmachtende Nebenregierungssystem.

Wie geht man jetzt mit diesem dynamischen Widerspruch um? Einerseits bedient Haider die aus dem Austrofaschismus ungebrochen fortwirkende alltagsfaschistische Mentalität, erntet an Zustimmung, was die früheren Regierungsparteien an »anständigem Patriotismus« gesät haben, andererseits zerstört er systematisch die realpolitische, institutionelle Kontinuität aus dem Austrofaschismus – übrigens in einer wahrlich großen Koalition mit dem europäischen Kapital, das mit diesem schrulligen Austriazismus namens Sozialpartnerschaft ebenfalls wenig Geduld hat. Und dies ebenfalls nicht unbedingt aus hehren demokratiepolitischen Gründen: sondern weil die Sozialpartnerschaft schlicht und einfach die wirtschaftliche Liberalisierung behindert. Das ist übrigens das schrulligste Mißverständnis überhaupt, um nicht zu sagen der Treppenwitz: Daß die europäischen Länder im Namen einer Idee, eines bloßen Ornaments auf dem europäischen Gebäude, in einem Mitgliedsland den konsequentesten Verbündeten im Hinblick auf ihre Praxis bekämpfen. Was für ein Graben ... Und er wird immer breiter: Seit hundert Tagen hat Österreich eine Regierung, die gnadenlos entschlossen ist, endlich die Maastricht-Kriterien umzusetzen – und Europa ist besorgt. Österreich hat eine Regierung, die die logische Konsequenz des EU-Beitritts, nämlich den NATO-Beitritt, lieber heute als morgen vollziehen möchte – und Europa stuft die diplomatischen Beziehungen zu Österreich zurück, wünscht sich wieder jene Regierung zurück, die in immobiler Monumentalität, wie die Pestsäule auf dem Graben, das staatswirtschaftliche und »neutrale« Österreich repräsentierte ...

Wie geht man damit um? Was zählt in der Politik mehr: Die Absicht oder das Ergebnis? Gehörte diese Entwicklung nicht einmal seriös diskutiert, statt, bei allem verständlichen Widerwillen gegen die Sprache der Freiheitlichen Partei, die mit Freiheit so viel zu tun hat wie das Schönheitliche mit Schönheit, einfach immer nur »Haider=Hitler«-Tafeln vor sich herzutragen beziehungsweise flammende Reden an jene zu halten, die dies tun?

Und als wäre das noch nicht vertrackt genug, kommen jetzt auch noch die verfassungsgeschichtlichen Kontinuitäten dazu. »Österreich ist eine demokratische Republik. Ihr Recht geht vom Volk aus.« Das ist der Satz, den jeder Österreicher in der Schule lernt. Was er nicht mehr lernt, ist alles was danach kommt: nämlich die systematische Destruktion von allem, was man eine demokratische Verfassung nennen könnte. Die österreichische Verfassung ist eine Ruine der Verfassung aus der Monarchie, auf sehr bedenkliche Weise »modernisiert« in der Ersten Republik am Vorabend des Ständestaats, bereits im Hinblick auf den

Austrofaschismus und daher von diesem heiliggesprochen, schließlich in der Zweiten Republik ergänzt durch eine Anthologie systematischer Verfassungsbrüche, die nur deshalb von der alten »Großen Koalition« mit ihrer unseligen Zweidrittelmehrheit in die Verfassung hineingeschrieben wurden, damit der Verfassungsgerichtshof diese Gesetze nicht als verfassungswidrig aufheben kann. Diese Beiträge der Zweiten Republik für die Verfassung waren, durchaus im Sinn der austrofaschistisch ständestaatlichen Kontinuitäten, allesamt Beruhigungsbestimmungen für die einzelnen »Stände«, weshalb wir in der österreichischen Verfassung die Bedürfnisse der Taxi-Innung eher geschützt finden als die klassischen Standards einer aufgeklärten demokratischen Gesellschaft. Bis heute ist es in Österreich, wie man bei der letzten Wahl gesehen hat, eher möglich, daß eine Partei, die, gegen das austrofaschistische Konkordat, die Trennung von Kirchen und Staat fordert, aus dem Parlament fliegt, als daß diese so selbstverständliche Forderung in die Verfassung eingeht.

Was wäre gewesen, wenn sich Österreich nach 45, so wie die Bundesrepublik, eine moderne, klare, demokratische Verfassung gegeben und sich darauf verpflichtet hätte, sie grundsätzlich zu achten, einzuhalten und zu verteidigen? Wäre dann nicht mit der Zeit im Inland und auch im Ausland das selbstverständliche Bewußtsein entstanden, daß jede politische Entwicklung, jeder Regierungswechsel eine Selbstverständlichkeit auf der Basis eines demokratischen Konsens ist? Wäre es dann nicht möglich gewesen, einen gelassenen Verfassungspatriotismus auch in Österreich zu entwickeln, statt diesen gespenstischen Wetteifer der Moralisten und Scheinheiligen, wer nun das »anständige«, wer das »echte«, wer das »gute« und wer das »bessere« Österreich repräsentiere ...

Dabei muß man noch von Glück reden, daß die gegenwärtige Regierung nur ihre Regierungspräambel und nicht die österreichische Verfassung international publiziert hat. Wäre die österreichische Verfassung im Detail bekanntgeworden – womöglich hätte die NATO eingegriffen!

Kaum jemand in Österreich, geschweige denn in den EU-Partnerstaaten weiß zum Beispiel folgendes: Es ist in der österreichischen Verfassung zwar geregelt, wie lange die Amtszeit des Präsidenten dauert, es ist ebenfalls die Dauer einer parlamentarischen Legislaturperiode definiert, aber es gibt keine Bestimmung, die festlegt, wie lange eine Regierung regiert und wann ihr Mandat endet. Das heißt: Wenn diese Regierung, die durchaus verfassungskonform zustande gekommen ist, nie zurücktritt, dann wäre auch das noch verfassungskonform. Wenn sie sich am Ende der parlamentarischen Legislaturperiode nicht aus traditionellem Goodwill Neuwahlen stellt – was dann? Dann haben wir eine Regierung ohne Parlament – außer, der Präsident setzt sie ab und eine Beamtenregierung ein. So sieht das die österreichische Verfassung vor. In beiden Fällen hätten wir politisch das austrofaschistische Revival, das keiner der österreichischen Antifaschisten auch nur als Möglichkeit zur Kenntnis genommen hat. Zugegeben, dieses Szenario mag unwahrscheinlich sein, und es scheint heute zweifellos näherliegend zu glauben: »Na, das werden sie doch nicht machen!« Aber: Ist nicht genau das das österreichische Problem? Stärkere Hoffnung in den guten Willen der politischen Führer zu setzen als in einen vernünftigen Rechtszustand?

Gehörte dies nicht zumindest diskutiert? Wann, wenn nicht jetzt, da alles ins Rutschen kommt, wäre eine grundsätzliche Debatte über diese Republik, ihre Gewordenheit, ihre Verfaßtheit, und über demokratiepolitische Reformen, die Österreich endlich unmißverständlich kompatibel mit Europa und der Freien Welt machten, sinnvoll?

Die Demonstrationen in Österreich und die Sanktionen von außen haben zweifellos ein großes Verdienst: Sie haben

Debatten ausgelöst. Zugleich aber erschweren sie die Debatte, die jetzt notwendig wäre, verstellen den Blick auf das eigentliche Problem. Sie übersetzen »Graben« immer noch mit »fossa«, produzieren Mißverständnisse statt Verstehen. Als wäre das, was es zu verstehen gilt, nicht skandalös genug. Der sogenannte »Widerstand«, sowohl national als auch international, zeitigte zwar eine äußerst sympathische Konsequenz: er stärkt das »Gute« und das »Anständige«, erzwingt es in verschiedenen Bereichen geradezu – heute werden etwa die Menschenrechte sogar dort immer wieder beschworen, wo sie zuvor demonstrativ und unsanktioniert gebrochen wurden, zum Beispiel im Innenministerium. Wir erleben die Selbstkritik und Reorganisation der Sozialdemokratie, was vor hundert Tagen noch völlig undenkbar gewesen wäre. Wir sehen die glaubwürdige Bereitschaft der Republik, endlich Entschädigungszahlungen an die Opfer des Nationalsozialismus zu leisten, was in den letzten dreißig Jahren nicht durchsetzbar gewesen ist. Wir können das Wachsen von Öffentlichkeit feststellen, in einem Land, in dem es fünfzig Jahre lang statt demokratischer Öffentlichkeit nur drei Substitute von Öffentlichkeit gegeben hat, nämlich das Heimliche, das Unheimliche und die *Kronen Zeitung*. Diese Liste ließe sich fortsetzen – dennoch: das »Gute« kann nicht genügen, wenn es nur die eilfertige Antwort auf einen konjunkturellen Druck ist und wenn es sich nicht mit grundsätzlichen Einsichten verbindet und diese verbindlich festschreibt. Es geht also, um es mit Jefferson zu sagen, nicht um »good will«, sondern um »rational constitution«. Endlich. Endlich auch in Österreich.

Die hundert Tage »Widerstand« und die internationalen Sanktionen machten notwendigen, ja überfälligen Druck auf unbegriffene Verhältnisse, und bis zu diesem Punkt ist es noch unerheblich, aus welch grotesken Mißverständnissen dieser Druck entstand und wie unbegriffen er selbst ist. Vielleicht befinden sich die, die trotzig gelassen auf dem

Graben sitzen und verkniffen die sichtbare Normalität beschwören, am Rande des Abgrunds, während jene, die die österreichische Adresse mit einem Abgrund verwechseln, nichts anderes tun, als einen freien Diskurs auf einem überschaubaren öffentlichen Platz einzuüben. An diesem Punkt ist es auch, noch, unerheblich, wie »gerecht« diese Auseinandersetzungen, die Proteste und Sanktionen sind. Hier geht es nicht um »Gerechtigkeit«, höchstens um »ausgleichende Ungerechtigkeit« (Klaus Hoffer), als Motor einer Dynamik, die, wie sich jahrzehntelang in Österreich gezeigt hat, gerecht nicht zu haben ist. So wie vor vierzehn Jahren im Fall Waldheim, der natürlich nicht der Kriegsverbrecher war, als der er geächtet wurde, der aber, in ausgleichender Ungerechtigkeit wegen seines exemplarischen Opportunismus und seines Mitlaufens bis an die Staatsspitze – so hätten sich alle gern gesehen und exkulpiert gefühlt, die Mitläufer und die Verbrecher –, nicht Präsident Österreichs wurde, sondern höchstamtlicher Auslöser der ersten profunden Auseinandersetzung mit der Gewordenheit dieses Landes. Bekanntlich hat aber diese Auseinandersetzung nicht genügt. Es war die Auseinandersetzung mit nur einem einzelnen in einem leer-repräsentativen Amt. Und es war die Auseinandersetzung bloß mit jener Vorgeschichte, mit der es ohnehin einen Bruch gegeben hatte, wenn auch einen problematischen. Die damals begonnene Klärung, die Neukonstituierung der Republik, muß und will jetzt zu Ende geführt werden, nicht mehr nur am Beispiel eines singulären Falls in einem barocken Amt, das sich ab und zu im Eröffnen einer Landwirtschaftsmesse betulich zeigt, sondern verallgemeinert, am Beispiel der Arbeit politischer Parteien, die sich täglich im praktischen Prozeß gesellschaftlicher politischer Willensbildung beweisen und rechtfertigen müssen. Waldheim war, archäologisch gesprochen, ein Mittelhandknochen, mit dieser Regierung haben wir ganze Ötzis.

Allerdings ist jetzt der Punkt erreicht, an dem der vernünftige Ausgang der Entwicklung auch Vernunft von jenen einfordert, die diese Entwicklung vorantreiben, wo der Druck vernünftigerweise auch auf jene wächst, die Druck ausüben, wo Erkenntnis und Rationalität auch jene beweisen müssen, die sie fordern. Welcher Faschismus soll in diesem Land besiegt, zumindest einmal erkannt werden? Welche Verfassung soll dieses Land haben, damit wir in Zukunft als Staatsbürger, an Politik interessiert, aber zugleich auch von ihr unbehelligt leben können und, wenn wir Begriffe wie »regionale« oder »europäische Identität« hören, uns nicht heimlich übergeben müssen? Will man den Rücktritt dieser österreichischen Regierung oder den Rücktritt Österreichs aus einer zwielichtigen Verfaßtheit? Will man Nutznießer eines sozialdemokratischen Paternalismus sein oder Anhänger sozialdemokratischer Ideen? Will man Demokrat sein oder ein Ich-bin-im-Rechthaber? Kurz: Will man als Ergebnis einer einigermaßen revolutionären Situation einen Rückschritt zum Status quo ante oder einen Fortschritt? Die Dialektik der aktuellen Situation ließe beides zu!

Und wäre, infolge der internationalen Sanktionen gegen die österreichische Regierung, eine verallgemeinerte Debatte über Rechtszustand und soziale Realität nicht zuletzt auch für Europa insgesamt und seine Ideen überfällig? Vorausgesetzt, daß aus den Ideen tatsächlich allgemeinverbindliche vernünftige Taten werden sollen, denn umgekehrt, das hat der Österreicher Karl Kraus gelehrt, ist das Scheitern vorprogrammiert: »Nichts ist so unmöglich wie der Versuch, aus Taten eine Idee zu machen.«

Ich sitze in Amsterdam auf dem Grafplaats und trinke ein Heineken.

Wie glücklich die Menschen in die Sonne blinzeln! »Graf« heißt übrigens nicht Graf, sondern Grab ...

Die hier vorliegenden Essays hat Robert Menasse zwischen 1998 und 2000 u.a. in *Falter, Format, Frankfurter Allgemeine Zeitung, Neue Zürcher Zeitung, Die Presse, Profil, Der Standard* publiziert.
Die Essays *Das war die Zweite Republik; Masse, Medium und Macht; Der Mitmacher; Der Vormacher, Die Geschichte vom Haus der Geschichte; Es wäre nicht Wien, wenn es wäre, wie es scheint; Die kleinen Vorsitzenden; Neutralität in Österreich und der Schweiz: Kein Vergleich; Sterbensworte* und *Österreich-Liebe in Zeiten der Cholera* erschienen außerdem 1999 im Sonderzahl Verlag, Wien in: Robert Menasse, *Dummheit ist machbar. Begleitende Essays zum Stillstand der Republik.*

Robert Menasse

Das Land ohne Eigenschaften

Essay zur österreichischen Identität
st 2487. 142 Seiten

»Glückliches Österreich? – Kaum ein Land ist der kritischen Selbstbefragung so hartnäckig aus dem Weg gegangen wie die österreichische Zweite Republik seit dem Zweiten Weltkrieg. Vor der Erinnerung an die braune Vergangenheit flüchtete man sich in eine rosige Zukunft, statt intellektueller Debatten pflegte man die politische Schlammschlacht: Weder der Streit um die Präsidentschaft Kurt Waldheims noch die Erregungen um die Stücke Thomas Bernhards oder die Auseinandersetzung mit dem Rechtspopulisten Jörg Haider sind über das Parteiengezänk hinausgekommen. Erst die europäische Herausforderung hat Österreich die Frage nach der eigenen Identität aufgedrängt. Welche Denk- und Daseinsweise dieser Abwehr gegenüber jeder Art von grundsätzlicher Selbstproblematisierung zugrunde liegen, ist Gegenstand von Robert Menasses Aufsatz. Sein Aufsatz macht einem das in seiner Nähe ferne Land einsichtig. Da wird weder denunziert noch die eigene kritische Potenz zelebriert, sondern in einer kühlen Sprache produktiv über Österreich nachgedacht. Ein vergilbter Vorhang wird beiseite geschoben, ein Fenster geöffnet: Licht und Luft kommen herein.« *Neue Zürcher Zeitung*

NF 243/1/7.00

Robert Menasse

Überbau und Underground

Die sozialpartnerschaftliche Ästhetik
st 2648. 202 Seiten

Bestimmendes Kennzeichen der österreichischen Nachkriegszeit ist die Harmonisierung von gesellschaftlichen Widersprüchen. Gegensätze, die auf der parlamentarisch-demokratischen Bühne ausgetragen werden, bleiben blasser öffentlicher Schein, während hinter den Kulissen immer schon der Kompromiß ausgehandelt ist.
Diese Kompromißkultur der Sozialpartnerschaft blieb aber nicht auf das politische und wirtschaftliche Leben beschränkt, sondern hat auch den »Überbau«, den österreichischen Literatubetrieb und die österreichische Literatur selbst, durchdrungen.
Robert Menasse wagt den Versuch einer Interpretation der österreichischen Nachkriegsliteratur, zeigt, wie der Literaturbetrieb der Zweiten Republik im Geist der Sozialpartnerschaft strukturiert wurde, und stellt die Frage nach dem Österreichischen in der österreichischen Literatur völlig neu. Respektlos nähert er sich dem großen Namen der heimischen Literatur: Alexander Lernet-Holenia, Gerhard Fritsch, Hans Weigel tauchen in dieser exakten und pointierten Untersuchung ebenso auf wie Heimito von Doderer, Fritz Habeck, Klaus Hoffer, Peter Handke oder Thomas Bernhard.

NF 244/2/7.00

Robert Menasse

Selige Zeiten, brüchige Welt

Roman
st 2312. 374 Seiten

Ein Liebesroman, ein Kriminalroman, ein philosophischer Roman, eine jüdische Familiensaga.
Leo Singer, Philosophiestudent, Sohn jüdischer Eltern, die in der Zeit des Nationalsozialismus nach Brasilien emigrierten, kehrt Anfang der 60er Jahre mit seinen Eltern nach Wien zurück. Er verliebt sich in Judith Katz. Sie soll seine Muse sein im Versuch, die Welt ein letztes Mal in ein philosophisches System zu zwingen. Judiths Tod eröffnet ihm das Geheimnis des Lebens – aber ist sie wirklich tot? Das Leben geht weiter – als erlaubt ist.
In der *Zeit* schreibt Erich Hackl: »Ein Buch, das die Welt – verändern? beeinflussen? jedenfalls beunruhigen wird. Robert Menasses Roman schildert, wie dieses Werk Leo Singers, das unsere Existenz erschüttern soll, nie zustande kommt. Und er macht das so unterhaltsam, daß man dem geglückten Buch über ein mißglücktes Buch möglichst viele Leser wünscht: 1 x Menasse, *Selige Zeiten, brüchige Welt*, bitte schnell, bitte gleich!«

NF 238/3/7.00

Robert Menasse

Phänomenologie der Entgeisterung
Geschichte des verschwindenden Wissens

st 2389. 88 Seiten

Der Roman *Selige Zeiten, brüchige Welt* erzählt von der fixen Idee des tragikomischen Gelehrten Leo Singer, ein Buch zu schreiben, das die Welt ein letztes Mal umfassend erklärt. Um dieses Buch zustande zu bringen, schreckte Singer auch vor Gewaltverbrechen nicht zurück – und scheiterte dennoch.
Nun hat Robert Menasse dieses Buch für seinen Romanhelden geschrieben, die *Phänomenologie der Entgeisterung*, eine Erzählung, die die Erzähltechniken Hegels noch einmal ernst nimmt. In der *Phänomenologie des Geistes* beschrieb Hegel die Entwicklung des Bewußtseins von der Stufe des einfachsten Denkens bis zum »Absoluten Wissen« – das, so Hegel, mit ihm selbst erreicht war. Aber wie ging es nach Hegels Tod weiter?
Ist die *Phänomenologie der Entgeisterung* ein philosophischer oder ein literarischer Text? Es ist ein Beweis für ihre innere Stimmigkeit, daß diese Frage nicht mehr entschieden werden kann. Auf alle Fälle ist das Buch eines: der kurze Brief zum langen Abschied von Hegels Totalitätsdenken.

NF 241/4/7.00

Robert Menasse

Sinnliche Gewißheit

Roman
st 2688. 329 Seiten

Die »Bar jeder Hoffnung« in São Paulo: Hier, beim Kneipier Oswald, einem Wiener, treffen sich regelmäßig deutsche und österreichische Emigranten, die redselig und zuckerrohrschnapssüchtig von ihren Erlebnissen erzählen, »so als hinge ihr Leben davon ab, daß es erzählt werden könnte«. Die Bewußtseinszustände der Trinker waren schon postmodern, als es den Begriff »Postmoderne« noch gar nicht gab. Ihre Erlebnisse und Erzählungen erweisen sich als Wiederholungen von so noch nicht Dagewesenem, sind Farcen ohne vorangegangene Tragödien, gleichsam Originalkopien. Aber kann das, was einer wirklich erlebt, eine Fälschung sein? Oder sind es die Zusammenhänge, die gefälscht sind? Süchtig sucht Roman, der Ich-Erzähler, das Authentische: in den Abenteuern mit Frauen, in Alkoholexzessen, in den Vorträgen des »Bar-Professors« Singer. Aber alles, was bleibt, ist die Gewißheit, etwas vergessen zu haben.

NF 239/5/7.00

Robert Menasse

Schubumkehr

Roman
st 2694. 180 Seiten

Februar 1989: Adolf König, Bürgermeister einer österreichischen Gemeinde nahe der tschechischen Grenze, durchbricht gewaltsam den Eisernen Vorhang – allerdings ungewollt, irrtümlich – und löst beinahe schwere diplomatische Verwicklungen aus.
November 1989: Die Grenze wird feierlich abmontiert.
Anhand einer Vielzahl von Figuren, Schicksalen und Geschichten beschreibt *Schubumkehr* den Verlauf dieses Jahres, in dem schließlich »kein Stein mehr auf dem anderen bleiben« sollte. Im Zentrum des Geschehens steht Roman, ein Mann mittleren Alters, der nach einem längeren Aufenthalt im Ausland nach Österreich zurückkommt. Statt vertrauter Zusammenhänge erwarten ihn private Grotesken und Tragödien, statt versteinerter Verhältnisse erlebt er, wie diese zu tanzen beginnen. Er reagiert mit Regression und Entgeisterung.

NF 240/6/7.00

Die Welt scheint unverbesserlich

Zu Robert Menasses
»Trilogie der Entgeisterung«
Herausgegeben von Dieter Stolz
st 2776. 365 Seiten

Das von Dieter Stolz herausgegebene Lesebuch ist eine vielstimmige Einladung, Robert Menasses ambitioniertes Projekt aus unterschiedlichen Perspektiven kennenzulernen. Neben aufschlußreichen Bekenntnissen des Autors stehen Lese- und Lebenserfahrungen von Kolleginnen und Kollegen, herausragende Rezensionen, brillant geschriebene Essays und Interpretationen aus literaturwissenschaftlicher Sicht.

NF 242/7/7.00

Doron Rabinovici

- Instanzen der Ohnmacht. Wien 1938-1945. Der Weg zum Judenrat. 495 Seiten. Gebunden. (Jüdischer Verlag)
- Österreich. Berichte aus Quarantanien. Herausgegeben von Isolde Charim und Doron Rabinovici. es 2184. 172 Seiten
- Papirnik. Stories. es 1889. 134 Seiten
- Suche nach M. Roman in zwölf Episoden. 287 Seiten. Gebunden

Robert Schindel

- Ein Feuerchen im Hintennach. Gedichte 1986-1991. es 1775. 79 Seiten
- Gebürtig. Roman. st 2273. 359 Seiten
- Geier sind pünktliche Tiere. Gedichte. es 1429. 138 Seiten
- Gott schütze uns vor den guten Menschen. Jüdisches Gedächtnis – Auskunftsbüro der Angst. es 1958. 148 Seiten
- Im Herzen die Krätze. Gedichte. es 1511. 113 Seiten
- Immernie. Gedichte vom Moos der Neunzigerhöhlen. es 2155. 96 Seiten
- Die Nacht der Harlekine. Erzählungen. st 2667. 118 Seiten
- Ohneland. Gedichte vom Holz der Paradeiserbäume 1979-1984. es 1372. 106 Seiten

NF 245/2/7.00